KB000530

그가 바로
내가 사역마를 부려
계속 관찰해 온
오르디아다.

혼자의 검

Sword of
Philoso

2

일러스트
사라치 요미

Junki Hiyama
히야마 준키

"사라졌다,
나타났다 하는 건
어떤 원리야?"

유노가 레핀을 가리키며 물었다.

레핀의 말에
유노는 곧바로
고개를 끄덕였다.

"간단히 설명
할까요?"

이름은 캐룬 버피.
다음은 남자.
진녹색 망토를 입은
몰개성한 마법사.

"어~이!"

한 쌍의 남녀가 다가왔다.
그중, 나는 여자를 보고
내심 놀랐다.
그녀는 동료가 되는
캐릭터 중 한 사람이었다.

"소피아!"

그렇게 외친 직후
왕녀의 주장을 멈추기 위해— 끌어안았다.

"루온……
님……?"

동시에 목소리도 멈췄다.

잠시 정적이 세상을 지배했고
오직 그녀의 체온만이 느껴졌다.

2

현지의 검

Sword of
Philosopher

INTRODUCTION

**처음인데
처음이 아니야…….**

발매한 지 얼마 안 되어 증쇄가 결정되는 등,
진행이 순조로운 **시리즈 제2탄.**

전생(前生)에 즐겨했던 게임 세계로
전생(轉生)한 **주인공 루온.**
이번 권에서도 게임 속
등장인물들과 만나게 됩니다.
처음 만났는데 이미 알고 있는
이상한 만남.
게다가 죽을 시기까지 알고 있으니
루온의 마음은 편치 않습니다.
마왕에게 괴멸당할
운명의 시나리오를,
죽을 예정인 등장인물들을 구하며
구원할 길을 찾아 갑니다.

마왕으로부터 동료를 지키기 위해…….
두근두근한 두 번째 무대로
로그인하세요!!

Sword of
Philosopher

작가
히야마 준키

일러스트
사라치 요미

옮긴이
이은혜

현자의 검

Sword of
Philosopher

CONTENTS

2

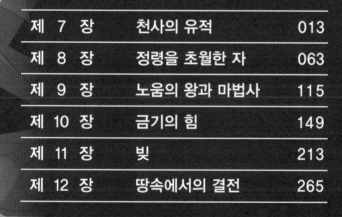

일러스트 : 사라치 요미

제7장 천사의 유적

시각은 아침, 하늘은 쾌청. 더불어 기온도 딱 좋았다. 여행하기에 최적인 날씨 속에 마왕을 토벌하기 위한 여행을 이어갔다.

싸움은 이제 막 시작되었을 뿐, 앞으로 점점 힘들어질 것이 분명하다. 그것은 이 싸움의 끝을 아는 내가 가장 잘 알고 있다.

"여태까지도 힘들었지만, 지금부터가 시작이지……."

그렇게 작게 중얼거리고 나도 모르게 쓴웃음을 지었다. 새삼스레 여태까지 있었던 일들을 돌이켜보니 불가사의한 사건의 연속이었다.

학교에서 돌아와 좋아하는 게임인 『엘더즈 소드』를 하던 중 갑자기 의식을 잃었고, 정신을 차리고 보니 가장 좋아했던 캐릭터인 루온 마딘으로 전생했다.

루온은 마왕 토벌을 시작하기 훨씬 전, 초반에 죽는 캐릭터였다. 그래서 필사적으로 수행을 쌓았고, 그 결과 무한한 힘을 손에 넣어 사망 플래그를 회피했다.

하지만 아무리 강해져도 나 홀로 마왕을 이기지는 못한다. 쓰러뜨리려면 현자의 핏줄을 이은 인물이 필요하다. 그래서—.

"자, 시작하자!"

기운찬 목소리가 들렸다. 옆으로 고개를 돌리니 함께 여행하는 동료들이 대화를 나누고 있었다.

방금 입을 연 이는 손바닥만 한 크기의 천사로, 전생한 직후에 알게 되어 수행 시절에 계속 지도해 준 유노다. 그녀가 날아다니며 말을 이었다.

"처음에는 마법 유지부터 시작하자."

"네, 알겠습니다."

유노의 말에 대답한 사람은 은발을 나부끼는 아름다운 여자로, 푸른 눈으로 유노를 뚫어져라 보며 기특한 태도로 대했다.

이름은 소필리아. 마족의 공격으로 붕괴한 발크스 왕국의 왕녀. 현재는 소피아라는 이름을 쓰며 내 종자로서 함께 여행하고 있다.

게임에서 소피아는 루온처럼 목숨을 잃는다. 그래서 나는 그녀를 구해내 함께 여행을 떠나기로 했다. 그녀의 첫 번째 목표는 조국 해방…… 나는 그 바람을 받아들여 그녀를 훈련시키기로 마음먹었다.

하지만 문제도 있었다. 현재 마족은 내 공작 때문에 그녀가 죽었다고 생각하고 있다. 만약 살아있다는 것을 알게 되면 분명히 습격할 터였다.

지금의 내 힘이라면 마족이 와도 저항할 수 있지만, 그렇게 되면 그녀와 함께 구한 부친— 발크스 왕국의 현 국왕이 위험해진다. 그리고 지금은 게임 시나리오와 똑같이 전투가 진행됐다. 이 점을 망가뜨리지 않기 위해서라도 그녀의 신원이 발각되지 않게 행동해야 했다.

이런 상황 속에 현재 목표는 소피아가 땅의 정령 노움과 계약하는 것. 다만, 그 전에 해두고 싶은 일이 세 가지 있었다. 그 중 하나가—.

"어, 어렵군요."

소피아가 문득 중얼거렸다. 그녀의 몸은 지면에서 몇 센티미터 떠 있었다. 내가 이동마법으로 활용하는 『버드 소어』 훈련이었다.

게임에서 『버드 소어』를 습득하려면 정령과 계약하고 약간의 경험치를 쌓아야 했다. 정령 문제는 바람의 정령, 실프의 여왕인 레핀이 동료가 된 덕분에 조건을 달성했다. 그리고 경험치는…… 그녀가 기사로 훈련해왔기 때문인지, 아니면 실프의 여왕과 계약했기 때문인지— 혹은 둘 다 인지 바로 쓸 수 있었다.

하지만 소피아는 떠오르는 것만으로도 기진맥진했다. 이 점을 해결하는 것이 그녀의 오른쪽 어깨에 앉은 유노다. 그녀는 제어가 제대로 되고 있는지 아닌지 마법으로 조사할 수 있었다. 내가 강해진 것도 그 능력 덕분이니 좋은 어드바이스가 될 터였다.

"어때, 유노?"

"제어는 제대로 하고 있어. 조작이 익숙하지 않은 것 같아."

우리가 이야기하는 동안 소피아가 지면에 발을 붙이고 마법을 해제했다.

"역시 왕녀님이야. 마법 제어 쪽은 내가 할 말이 없어."

"그거 대단한데?"

나는 감탄했다. 왕녀라는 신분 덕분에 적확한 지도를 받은 것도 한 요인이겠지만, 상응하는 노력을 한 결과이기도 했다.

"그럼 뭐가 문제야?"

"다루는 방법이 평범한 마법과 달라서 소피아가 당황했어. 뭐, 이 점은 익숙해지면 돼. 문제는 마력량인가~."

다시 마법을 쓰려는 소피아를 바라보며 유노가 말했다.

"레핀과 계약해서 마력이 조금 늘었지만, 장시간 사용은 아직 안 될 거야."

그때, 소피아의 앞에 정령— 레핀이 나타났다. 푸른 머리카락에 흰 원피스, 그리고 왕의 기품을 갖춘 그녀는 미안한 표정을 지었다.

"소피아 님, 제 힘이 미진해 죄송합니다."

"아뇨…… 막 계약하지 않았습니까. 앞으로 익숙해져야지요."

둘은 서로를 생각했다. 성실한 소피아와 상성은 좋아 보였다.

그 흐뭇한 광경을 보고 있으려니…… 유노가 레핀을 응시하는 게 보였다.

"유노, 왜 그래?"

"아니, 별거 아닌데……."

유노가 레핀을 가리키며 물었다.

"사라졌다, 나타났다 하는 건 어떤 원리야?"

"간단히 설명할까요?"

레핀의 말에 유노는 곧바로 고개를 끄덕였다.

"응, 관심 있어."

"알겠습니다. 계약하면 우리는 계약자가 가진 마력의 일부를 빌려 방을 만듭니다."

"방?"

"네. 계약한 정령은 방 안팎을 자유롭게 오갈 수 있습니다. 남의 눈에는 그게 사라졌다, 나타났다 하는 것처럼 보이는 거지요."

"흐으음…… 싸울 때는 방 안에 있어?"

"네. 방 안에서 마력으로 계약자의 힘을 증폭시킵니다."

"그렇구나…… 음, 잠깐만."

갑자기 유노가 손을 들었다.

"밖에서는 똑같이 못 해? 왜, 소피아 한 사람의 힘을 높이기보다는 연계 공격도 가능하잖아…… 공격당할 수 있어서 안 해?"

"그 이유는 정령의 특성에 있어."

이번에는 레핀이 아니라 내가 끼어들어 말했다.

"정령은 마력이 뭉친 건데, 마왕과 마족이 내뿜는 『어떤 것』에 약해."

"……장기(瘴氣)?"

"정답. 정령은 외부 환경의 영향을 많이 받아. 실프는 바람이 없는 곳, 샐러맨더는 물가 등…… 환경에 따라 힘이 약해져. 천사의 유적도 특수한 마력이 있어서 힘들지. 그런데 특히 장기에 약해."

"물론 우리에게도 대항하는 기술은 있습니다."

레핀이 내 말에 이어서 말했다.

"우리 실프의 거처에 마족이 오더라도 동료가 단결하면 쫓아낼 수 있습니다. 하지만 그것은 거처에 강한 바람의 힘이 있기 때문이죠. 장기 속에서 문제없이 힘을 발휘하려면 반드시 인간과 계약해 방 안에 있어야 합니다."

"와아, 그렇구나."

유노가 납득하자 레핀이 소피아를 보고 미소 지었다.

"소피아 님이 성장하시면 장기가 있는 곳에서도 바람의 흐름을 이용해 기척을 탐지하는 등, 정령 혼자서는 불가능한 일도 할 수 있게 될지도 모릅니다."

"제가 하기 나름, 이라는 것이로군요."

소피아의 말에 레핀이 고개를 끄덕이자— 유노가 다시 손을 들었다.

"저기, 있잖아. 그럼 싸울 때 말고는 소피아의 마력으로 들어가지 않아도 되지?"

"그렇죠."

"그럼 마을 같은 데서는 계속 밖에 있으면서 말하지그래?"

그녀의 제안에 레핀이 침묵했다.

그건 아마 정령 개개인의 성격에 따라 다르지 않을까? 마을에서 신나게 떠드는 정령을 본 적이 있기도 하고, 틀어박혀 있다고 말하는 모험가도 있었다.

레핀은 소피아의 지시에 따르지 않을까? ……과연 뭐라고 대답할까?

"―소피아 님, 계속 훈련하실 거죠? 저는 돌아가겠습니다."

아, 돌아갔다. 당연히 유노는 불만스럽게 뺨을 부풀렸다.

"아마 끝없이 유노의 잡담에 어울릴 것을 생각하고 물러난 거겠지."

"루온, 뭐라고 했어?"

"아니, 아무 말도 안 했어."

나는 쓴웃음을 지으며 대답했다. 소피아도 재미있는지 웃었다.

"자, 정신 차리고 다시 훈련하자. 유노, 토라져 있지 마."

"네에……."

소피아가 다시 『버드 소어』를 사용했지만― 유노의 지적대로 마력량이 부족한지 얼마 지나지 않아 마력이 다해 쓰지 못하게 됐다.

"죄, 죄송합니다."

"마력량은 하루아침에 변하지 않아. 천천히 가는 수밖에 없어."

실전에서 활용할 수 있기까지는 좀 더 걸리려나. 만약 내가 소피아를 두고 단독으로 행동하더라도 이런 이유가 있으면 납득할 테니 트러블이 일어나지는 않을 것 같았다.

그럼— 우선할 것은 두 번째 일. 시선을 앞으로 돌리자 멀리 마을이 보였다.

"오, 도착했네."

"학문의 마을 토르아라로군요."

소피아가 그렇게 말하고 나를 바라봤다.

"루온 님, 여기서 우리가 해야 하는 일은……."

"오는 길에 이야기했지만, 마족은 사람을 겉모습이 아닌 마력의 질로 판별해."

"네."

"발크스 왕국을 지배하는 마족은 궁전에 있을 거야. 하지만 마왕에게 지시를 받고 밖으로 나오는 일도 있겠지."

"갑작스레 마주칠 가능성이 있으니 마력의 질을 바꾸는 아티팩트가 필요한 것이군요."

"맞아. 유노의 말에 의하면 그런 아티팩트가 천사의 유적에 있다고 해. 그걸 입수하면 최악의 사태는 피할 수 있어."

이 마을은 학술연구가 활발해서 천사의 유적에 관한 자료도 많았다. 원하는 정보를 찾을 가능성이 컸다.

"루온 님, 서적 조사라면 저도 돕고 싶습니다만."

"그래. 부탁해."

"네."

소피아가 미소를 지으며 말했다. 나는 미소로 대답하며 다시 마을로 눈을 돌렸다.

"급한 여행은 아니지만, 서둘러서 나쁠 건 없지. 바로 조사를 시작하자."

해야 하는 일 중 두 가지는 소피아에 관한 것이지만 다른 하나는 달랐다.

이 마을에 한 마족이 숨어들었다. 지금도 새를 본뜬 사역마로 동향을 관찰하는 중이다. 이름은 오르디아. 게임 주인공 중 한 명이자 마족과 인간 사이에 태어난 존재. 그런 그의 동향을 살핀다— 그것이 해야 하는 일 중 하나였다.

그는 게임 시나리오 시작 시점에서 마왕의 침략에 의문을 갖고 배신할 준비를 했다. 하지만 그 시기는 지금보다 조금 뒤의 이야기— 따라서 아군이라고 생각하기는 일렀다.

아마 지시를 받고 이 마을에 잠입했을 것이다. 그 목적은……. 그렇게 그를 생각하는 사이 여관을 잡고 아티팩트를 조사하기 위해 도서관으로 가기로 했다.

이 마을은 발크스 왕국 영내에 있지만, 치안과 마을 기능은 제대로 유지됐다. 실프의 거처로 가기 위해 들렀던 상업 마을 실벳처럼 병사가 많고 방위 준비도 확실했다.

하지만 마족이 정복해도 지금 상황은 바뀌지 않을지도 모른다. 마왕은 정치의 중추인 수도를 제압한 후, 마물을 이용해 주변 마을을 공포로 지배했다. 본보기로 마을을 불태우는 경우도 있지만, 많은 마을이 무사하다고 게임에 묘사됐다.

마왕은 대륙을 붕괴시키는 것이 최종 목적인데, 정치 기능을 마비시킨 뒤로는 인간을 이용해 그 준비를 진행했다. 하지만 단번에 대륙 전체를 점령한 것은 아니었다. 예를 들면 발크스 왕국 옆에 있고 노움의 거처가 있는 로베일 왕국은 수도 함락을 면했다.

한동안은 교착 상태가 이어지지만…… 마족 측도 언젠가 침공을 시작하리라. 인간 측 상황이 점점 안 좋아질 것은 분명했다. 전황을 뒤집을 수가 필요했다.

예를 들면— 마왕의 심복, 5대 마족을 격파한다는 거대한 한 수가…….

"저거군요."

그때, 소피아가 손가락으로 한 지점을 가리키며 말했다. 시선 끝에 거대한 도서관이 보였다. 중후함과 박력이 느껴지는 석조 건물이었다.

저 정도 규모면 자료를 찾는 것도 큰일이었다. 시간이 얼마나 필요할지 모르겠는데…… 하루 동안 조사해보고 내일 이후 어떻게 할지 판단하자.

그때, 갑자기 유노가 우리 앞을 막고 손을 들었다.

"저기, 저기요~. 루온, 질문."

"응."

"천사의 유적에 관한 자료는 쉽게 볼 수 있어? 연구대상이니까 전문적인 자격이 필요할 것 같은데……."

"확실히 정보 레벨은 높아. 자료 자체가 발굴품이니까. 아무나 볼 수 있지는 않아."

"그럼 어떡해?"

"문헌을 보는 게 불가능했다면 처음부터 다른 방법을 꺼냈 겠지."

나는 외투 안주머니를 뒤져 어떤 물건을 꺼냈다.

"이게 있으니까 괜찮아."

글자가 새겨진 철제 플레이트였다. 예전 세계의 포인트 카드 보다 한층 더 작은 크기였다.

"그게 뭐야?"

"길드 등록자를 의미하는 카드. 등록 카드에도 종류가 있는 데 내가 가진 거로는 천사의 유적에 관한 자료를 열람할 수 있어."

유적 안에 있던 자료와 그에 관련된 연구서는 나라가 관리 하기 때문에 열람하려면 믿을 수 있는 인물이라는 증명이 필 요했다. 그중 하나가 길드 카드였다.

루온이 이것을 얻은 것은 여행을 시작했을 무렵으로, 스승 님의 인맥을 이용했다. 틀림없이 폐를 끼쳤으리라. 고향에 돌 아가면 어떻게 될지…… 생각만 해도 오싹했다.

"유적을 탐색하려면 이런 카드를 가진 사람이 꼭 있어야 해. 꽤 귀한 거라고."

"와아, 그렇구나."

"역시 루온 님입니다."

소피아가 칭찬했다. 나는 「고마워」라고 감사를 표했다.

아무튼 이것만 있으면 조사할 수 있다. 나는 의기양양하게 도서관에 들어가 접수처에 카드를 제시했다. 그러나—

"죄송합니다. 지금은 자료를 열람할 수 없습니다."

……어라?

사정을 설명하려는 것보다 빠르게 접수처 직원이 미안해하며 말했다.

"어, 열람이 안 돼요?"

"네. 제한이 있어서 촌장님의 허가가 없으면 불가능합니다."

여태까지 이런 적이 없었는데…….

"저기, 이유는요?"

"저희도 자세한 건…… 아마 마족 습격과 관련이 있으리라 생각합니다."

으음…… 혼란의 여파인가. 이러면 두 손 드는 수밖에 없겠군.

"촌장님은 어디 계시죠?"

"아마 회의 중이실 겁니다."

마을 방위 관련해서 회의 중인가? 당연히 만나주지 않겠지.

옥신각신해봤자 의미가 없어서 우리는 도서관을 나왔다. 우선 정보부터 찾을 작정이었는데 초장부터 막혔다. 생각해둔 예정이 전부 틀어져 버렸다.

"아티팩트는 포기해야 하는 걸까요."

소피아가 입을 열었다. 대책을 세워야 하는 것은 명백했다.

"미안해, 소피아. 레핀을 불러줄래?"

"부르셨습니까?"

내 물음과 함께 레핀이 모습을 드러냈다.

"문제가 발생한 것 같아서요."

"응. 아티팩트를 얻지 못하면 마법에 의지해야 해. 정령의 힘으로 마력의 질을 바꿀 수 있을까?"

"상시 발동을 원하시는 거군요?"

"맞아. 언제 마족과 만날지 모르니까."

"몹시 어렵습니다. 마법을 상시 발동하려면 소피아 님의 마력도 필요합니다. 현재 마력량으로는 힘듭니다."

양이 문제인가. 그럼 마족이 나타날 만한 곳에서 마법을 써서…… 그야말로 모험이군.

그럼 다른 방법은…… 잠시 생각한 끝에 한 가지 제안했다.

"우선 길드로 갈까?"

"길드요?"

나는 미간을 찌푸리는 소피아에게 고개를 끄덕였다.

"마을 주변에 유적이 발견됐을지도 몰라. 그럴 경우에는 모험가에게 조사를 의뢰하기도 하니까 아티팩트에 대해 알게 될 수도 있어."

"그것이 우리가 원하는 물건인지는 알 수 없습니다만."

"이렇게 된 이상, 가망이 있는 곳부터 조사해야지. 그러니까 길드로 가자."

"알겠습니다."

소피아의 승낙을 듣고 길드로 가려던 그때, 오르디아를 관찰하던 사역마가 보고했다. 마을을 어슬렁거리는 모양이었다.

그는 아마도 이 마을 정찰을 명령받았을 것이다. 이미 마왕을 배신할 작정이라면 정찰하는 척하고 달리 목적이 있을 터…….

"저 때문에 죄송합니다."

갑자기 소피아가 사과했다. 나는 얼른 고개를 가로저었다.

"괜찮아."

"원래는 얌전히 있는 게 제일일 수도 있습니다만……."

"소피아가 납득할 수 없잖아? 나는 신경 쓰지 않으니까 뜻을 굽힐 필요 없어."

"저도 동감입니다."

레핀이 나를 지지했다. 유노도 「맞아, 맞아」 하고 맞장구를 치며 소피아를 응원했다.

미안해하던 소피아가 이내 마음을 다잡고 원래대로 표정을 되돌렸다.

"그런데 길드는 어디에……?"

"이 마을에 와본 적이 있어서 어디 있는지 알아. ……찾았다."

술집으로도 보이는 목조 건물. 저번에 들른 실벳에 있던 길드와 외관이 비슷했다. 발크스 왕국 안이라 일부러 비슷하게 만들었는지도 모르겠다.

건물 안으로 들어가려다 소피아를 어떻게 할지 생각했다. 미모 때문에 시비가 붙을지도…… 과보호인가?

"소피아, 들어갈래?"

"루온 님을 따르겠습니다."

어떻게 하지…… 소피아에게 결정을 떠넘기는 것도 너무한가.

"알았어. 그럼 들어가자. 길드 분위기에 익숙해지는 것도 나쁘지 않지."

"네."

문을 열어 안을 확인했다. 사람이 제법 있는데…… 모두 심각한 얼굴로 대화 중이었다.

"설마……."

나는 그렇게 중얼거리며 안으로 들어갔다. 유노가 내 오른쪽 어깨에 올라탔고 소피아와 레핀은 주위 사람들을 관찰하며 따라왔다.

보통, 낯선 사람이 들어오면 조금이라도 주목할 텐데 눈길을 보내는 사람이 거의 없었다. 그 모습에 길드가 어떻게 됐는지 어렴풋이 이해했지만, 일단 가장 안쪽에 있는 접수처로 갔다.

"실례합니다."

"음, 일 때문에 오셨나?"

통통한 중년 남자가 대응했다. 그는 나를 힐끗 보고 난처한 표정을 지었다.

"미안하군. 어수선해서 일을 접수하지 않아."

"……마족 때문에요?"

"그렇지, 뭐."

남자가 한숨을 흘렸다. 역시……. 길드에 있는 등록자들은 일이 아니라 정보를 교환하기 위해 온 모양이었다.

마을이 겉으로는 평온해 보여도 마족 대책 마련에 내쫓긴 상황이었다. 그와 관련해서 기사단과 길드가 이래저래 움직이고 있다…… 그런 건가.

"혼란이 가시면 다시 일을 알선할 거야. 며칠 뒤로 생각 중인데 어떻게 될지 모르겠군."

"그렇습니까…… 그럼—."

나는 가능성은 희박하다고 생각하며 물었다.

"가까운 시일 내에 이 주변에 있는 천사의 유적을 탐색할 예정은 있습니까?"

내 물음에 남자가 반응했다. 설마, 하는 놀라움이 얼굴에 드러났다.

"왜 그러세요?"

"아아, 아니…… 길드와는 상관없지만, 등록자가 유적을 탐색하기 위해 동료를 모으러 왔었거든. 바로 조금 전에 리더가 상담받았어."

오, 그거 좋은 소식인데? 원하는 아티팩트를 얻을 수 있을지는 모르지만.

"그 사람은 어디에……?"

"저기."

남자는 내 쪽에서 봤을 때 왼쪽을 가리켰다. 그 방향으로 고개를 돌리니 의자에 앉아있던 한 남자가 막 일어났다.

"안녕. 상황이 이래서 동료 모으느라 고생 중이야."

남자의 쓴웃음 띤 말에 한순간 반응하지 못했다. 그 이유는 남자가 낯이 익었기 때문이다.

붉은 가죽 갑옷으로 상반신을 감싸고 등에 검을 멨다. 어깨까지 기른 금발을 하나로 묶었고 어딘지 가벼운 인상을 줬다.

틀림없었다. 그는 게임 동료 캐릭터— 이름은 길버트 록온. 여자를 보면 너나 할 것 없이 추파를 던지는 가벼운 성격의 캐릭터였다.

게임에서는 그가 눌어붙은 술집에서 말을 걸면 동료가 된다. 단, 파티에 여자 캐릭터가 한 명 이상 있어야 한다는 조건이 있었다.

"뭔가, 리더 같지가 않네."

유노가 평가했다. 응, 나도 그렇게 생각해.

능력은 전형적인 전사 타입이나, 힘보다 민첩성 파라미터가 높은 게 특징이다. 속도는 연속 공격이나 난무 계열 기술의 위력과 관련이 있어서 장점일 수도 있지만…… 다른 파라미터가 평균에 머물러서 스토리 후반에 수력으로 쓰기는 힘들었다.

그 밖의 장점은 처음부터 신성마법을 쓸 수 있다는 점. 잘 키우면 어떤 상황에서도 쓸 수 있는 만능 캐릭터인데…… 단, 이것은 어디까지나 이상론이었다. 보통은 쓸 캐릭터가 없어서 전사 계열로 키우는 일이 많았다. 그리고 다른 강한 캐릭터가 등장하면 얼른 갈아탔다.

실제로 나도 손에 꼽을 정도로만 동료로 삼았고 마지막까지 키워본 적이 없어서 개인적으로 인상이 희미했다.

"……확인 차 묻는 건데, 어쩌다 유적 탐색을?"

내 질문에 길버트가 웃으며 일의 경위를 설명했다.

"길드 의뢰가 아니라 이 마을 높으신 분에게 직접 받은 일이야. 옛날에 일로 엮인 적이 있는 사람인데, 길드가 움직이지 않으니까 나를 찾았어."

"그렇군. 다른 멤버들은 이 길드 소속이야?"

"응. 현재 참가 인원은 나를 포함해 넷이야."

길버트가 소피아를 바라봤다. 순간 추파라도 던지려나 했지만, 일이 우선인지 지극히 성실하게 이야기를 계속했다.

"그쪽은 동료?"

"저는 종자입니다."

"그렇구나. 괜찮으면 두 사람…… 아니, 작은 천사님을 포함해서 이름을 가르쳐줄래?"

"루온 마딘이야. 루온이라고 부르면 돼."

"나는 유노야."

아, 소피아는 어떡하나…… 했더니 그녀가 망설이지 않고 대답했다.

"소피아 라톨입니다."

딱 맞는 가명이었다.

"나는 길버트 록온. 길이라고 불러. 참가할래?"

"그 전에 질문 두 개."

"해, 루온 씨."

"하나는 그 천사의 유적에 관해서인데, 아티팩트가 있어?"

"응. 어떤 게 잠들어 있는지도 알아."

"뭔데?"

"마력의 질을 위장……한댔나?"

우리가 찾는 물건—! 엄청난 우연에 숨을 집어삼켰다.

"그런 아티팩트는 다른 유적에도 있다더라. 학자의 말에 의하면 다른 천사의 거처에 잠입하기 위해 만든 걸지도 모른대."

"그렇군……. 그럼 두 번째 질문. 보물은 어떻게 나누지?"

아티팩트를 원한다고 주장하면 당연히 약점을 잡힌다. 그건 되도록 피하고 싶어서 완곡하게 물었다.

"아티팩트는 마음대로 해도 되는데 보물은 마을 사람들과 협의해야 해."

"그 말은, 마을 사람들에게 보물을 어느 정도 넘기나 봐?"

"응. 마을은 마족 침공에 대비해 조금이라도 보물…… 즉, 군자금을 갖고 싶겠지. 그 대신 유적 탐색 비용은 마을이 부담해."

……음, 상황이 대충 이해됐다.

마을을 방위하려면 반드시 병력이 필요했다. 나라의 중추가 무너져서 국군이 뿔뿔이 흩어지는 바람에 중앙의 지원군을 기대하는 건 무리였다.

그래서 마을 사람들은 자비로 병력을 증강하기 위해 자금을 구했다. 그 때 눈에 들어온 게 천사의 유적에 잠든 보물이었다.

"마을에 있는 기사단은 방비를 정리하느라 바쁜지 유적에 사람을 투입하지 않는 것 같아. 그래서 내게로 이야기가 돌아왔어."

"흐음, 그래서 아티팩트를 마음대로 해도 된다니, 아주 통이 큰데?"

"아까도 말했듯이 이번에 가는 유적의 아티팩트는 다른 데서도 발견돼서 마족과의 전투에서 실용성이 없다고 판단한 거 아닐까?"

"별 가치가 없다고……."

"갖고 싶어?"

"……우리한테 없는 아티팩트거든. 관심이 없다면 거짓말이겠지."

이 대답은 실수라고 생각했으나 길버트가 「그럼」이라며 제안했다.

"보수를 줄이면 아티팩트를 줄게."

"그래도 돼?"

"나랑 다른 전사들은 필요 없으니까. 그것을 대가로 전력이 되어준다면 고마운 일이지. 처음 들어가는 유적이고, 이번에는 실패하고 싶지 않아. 무슨 일이 일어나도 괜찮도록 인원이 많았으면 좋겠어."

"알았어. 그럼 협력할게."

행운이었다. 바라던 아티팩트를 가질 수 있는 목표가 생겼다.

그 뒤로 일정 이야기를 했다. 탐색은 내일이었다. 우리로서는 갑작스러웠지만, 그래도 가야 했다.

"그럼 내일 잘 부탁해."

길버트가 이야기를 마무리했고 우리는 길드를 떠났다.

"찾던 물건을 갖게 돼서 다행이야."

"응."

유노의 말에 나는 순순히 고개를 끄덕였다.

"뭐, 이건 소피아가 불러들인 행운이라고 생각할까?"

"네? 저요?"

"소피아가 쓸 아티팩트니까 소피아의 운이지."

"그런가요……?"

"그래. 내일은 유적 탐색이야. 오늘은 푹 쉬자."

우리는 여관으로 향했다. ─이때는 놀라운 전개가 우리를 기다릴 줄은 상상도 하지 못했다.

다음 날 아침, 일출 시각. 나와 소피아는 지정된 집합 장소─마을 북문으로 향했다.

가까이 가니 문 근처에 있던 길버트가 손을 흔들었다.

"여~, 몸 상태는 어때?"

"완벽해."

나는 그렇게 대답하고 멤버를 확인했다. 방패를 든 남자가 둘, 대검을 든 남자가 하나, 길버트를 포함해 전부 네 명.

"길, 다 모인 거야?"

"아니, 한 명 더 있어. 어젯밤에 술집에서 우연히 대화하고서 같이 가자고 부탁했어. 그런데 루온 씨네는 그 사람이 별로일지도 몰라."

"왜?"

"아티팩트를 원하는 것 같거든."

문제의 불씨가 될 만한 짓을…….

"어떡할지는 그쪽끼리 교섭해줘."

"무책임하네."

"……미안하지만, 이번 일은 실패하면 안 돼. 만전을 기한다고 생각해줘."

길버트가 변명했다. 그로서는 어쩔 도리가 없는 모양이었다.

마음을 가다듬고 다른 전사들에게 자기소개를 하려는데…… 그들이 눈길도 주지 않았다.

뭐지? 환영받지 못하는데? 외지인이라 그런가?

길버트를 보니 미안한 표정을 지었다. 이렇게 될 줄 알았나? 뭐, 그러면 그런대로 방법이 없었다.

그렇지만, 새로 들어온 일곱 번째 사람도 이러면 힘들겠는데……. 그때, 사역마에게서 보고가 날아들었다.

오르디아가 다가오고 있었다.

"아니, 설마……."

잠깐만 있어 봐, 마지막 한 사람이라는 게—.

"어, 왔네. 어~이!"

길버트가 손을 흔들었다. 나는 당장 상대를 확인했다.

—그곳에는 게임과 똑같이 소매가 너덜너덜한 검은 옷을 입은 인물이 있었다.

특징은 진보라색 머리카락. 눈초리가 날카로운 검은 눈이 이쪽을 뚫어져라 보며 위협……까지는 아니지만, 어딘지 딱딱한 분위기를 자아냈다.

다음으로 주목할 부분은 양 허리에 찬 장검— 이도류. 그가 바로 내가 사역마를 부려 계속 관찰해 온 오르디아다.

능력은— 기존에 가진 이도류 기술이 강하고, 오르디아가 마족의 피를 이었기 때문인지 근력 등 무기를 다루는데 필요한 능력이 높았다. 그래서 주인공 중 직접공격력이 가장 높았다.

파티 주전력으로 충분한 힘을 가졌지만, 단점도 있었다. 빛 속성 피해를 많이 받고, 마법을 잘 쓰지 못했다. 마족과 인간의 혼혈이라 마법 위력이 준다는 설정이었다. 현실에서도 아마 똑같겠지.

그나저나 그가 이곳에 오다니…… 확실히 어젯밤, 술집을 전전했다는 보고가 있었다. 그 과정을 거쳐 이렇게 되다니…….

"잘 부탁해, 오르디아 씨."

길버트가 경쾌하게 말했고, 이때 유노가 입을 열었다.

"……루온이 말한 특징을 가진 사람이네."

사전에 미리 이야기해놓아서 그가 오르디아라는 것을 인식한 모양이었다.

그나저나 상황이 복잡해지네……. 됐어, 우선 인사부터 하자.

"루온 마딘이야. 잘 부탁해. 루온이라고 부르면 돼."

"소피아 라톨입니다. 처음 뵙겠습니다."

"나는 천사 유노. 잘 부탁해."

"……오르디아 타게이트다."

툭 던진다는 표현이 어울리는 자기소개— 타게이트는 인간인 어머니의 성씨였다. 아버지는 마족이라 성이 없으니 실질적으로 본명을 밝힌 게 됐다.

"음, 오르디아 씨. 미리 확인해두고 싶은데, 당신도 아티팩트를 원해?"

"……그래."

그가 중얼거리듯이 대답했다.

"그건 일단 유적 탐색을 마친 뒤에 이야기해도 될까?"

침묵이 생겼다. 오르디아가 노려보는 것 같은 표정을 지었다. 인상이 좋지 않았다.

문제는 아티팩트 입수가 임무냐, 독단이냐다. 전자라면 명령을 받은 이상, 싸울 가능성도 있었다. 후자는 어떻게 교섭하느냐에 따르려나……

길버트가 다른 전사들과 대화하는 한편, 나와 소피아는 오르디아의 대답을 기다렸다. 그는 아무 말 하지 않고 입을 우물거렸다.

말을 고르는 모습…… 설마 말솜씨가 없어서 어떻게 대답해야 좋을지 몰라서 그러나?

"어~이, 거기 세 사람."

침묵 중, 길버트가 다가왔다.

"아니, 천사님까지 하면 네 사람인가?"

"나도 포함해줘서 고마워."

"천만에요. 다 모였으니 유적으로 가고 싶은데, 이야기 다 나눴어?"

아직 시작도 안 했지만, 결말이 나지 않을 게 분명했다.

"응, 가자. ……그러고 보니 여기서 얼마나 걸려?"

"걸어서 한 시간 정도야. 가자."

길버트를 선두로 유적 탐색자 일행이 출발했다. 오르디아가 그들 다음, 나와 소피아가 가장 뒤쪽이었다.

잠시 걷고 있는데 갑자기 길버트가 내 옆으로 왔다.

"미안, 루온 씨. 부탁이 있는데……."

또 송구한 얼굴— 유노가 먼저 반응했다.

"너무 나서지 말라고?"

"맞아. 루온 씨네가 솔선하고 보수를 많이 요구하는 거 아니냐고 다른 전사가 싫어하네."

"우리를 대하는 태도를 보니, 처음부터 우리가 참가하는 걸 반대했던 거 아니야?"

유노의 지적에 길버트가 쓴웃음을 지었다. 정곡인가.

"그래서, 미안하지만…… 보수는 탐색이 끝나고 자리를 만들 테니까, 그때 와줄래?"

……리더라는 이름의 조정자는 힘들어 보였다.

"우리는 별 상관없어. 마법을 쓸 수 있으니까 후방에서 지원할게."

"그럼 부탁할게. 아, 오르디아 씨한테도 말해야……."

"내가 말할게. 아티팩트 이야기도 하고 싶으니까."

"알았어, 고마워."

길버트가 웃음을 잃지 않고 앞으로 갔다. —내심 스트레스가 쌓였으리라.

마음속으로 그를 동정하며 나는 옆에 있는 소피아에게 작게 말을 걸었다.

"소피아, 길의 말대로 우리는 후위야."

"알겠습니다. 풍파가 일어나지 않게 하는 거죠?"

"응. 그냥 평범한 유적 탐색이고, 맘대로 설친다고 소피아의 정체가 들통나지는 않겠지만…… 조심해서 나쁠 거 없지."

"이해합니다. 그럼 그렇게 하죠."

이제 소피아는 문제없었다. 남은 문제는 오르디아인가…….

머리를 살짝 숙인 채 걷고 있는데, 뭐 생각할 거라도 있나?

"음, 오르디아 씨?"

아티팩트 이야기를 하려고 그의 어깨를 잡으려 한 순간…….

갑자기 엄청난 표정으로 돌아보나 싶더니 유유히 검을 뽑아 나를 공격—

"잠깐!"

나는 검집에 담긴 검으로 막았다. 철과 철이 부딪치는 날카로운 소리가 울렸고 길버트 일행이 무슨 일이냐며 돌아봤다.

"어, 어이, 이봐, 무슨 일이야?!"

길버트의 입장에서 보면 아티팩트로 교섭하다가 일촉즉발의 상황에 빠졌다고 생각했을 터.

그가 황급히 중재하려고 하자…… 오르디아가 이성을 되찾고 당황했다.

"미……미안!"

그리고 얼른 사과했다. 검을 물리고 힘차게 머리를 숙였다.

"새, 생각을 좀 하고 있는데, 갑자기 뒤에서 기척이 느껴져서……."

평소에 마물에게라도 쫓기냐고, 너……. 그러고 보니 오르디아는 마족 중에서도 무인(武人)에 속해있고 융통성이 없는 성격이라고 프로필에 적혀 있었다. 이번 일도 몸이 멋대로 움직였나?

이유가 무엇이든 한 가지 알게 됐다. 이렇게 인간과 팀을 꾸리게 되어 당황한 것 같았다. 자기소개 때에도 어떻게 이야기해야 좋을지 몰랐던 게 분명했다.

"앞으로 조심하면 돼. 그리고 길, 나는 멀쩡하니까 신경 쓰지 마."

"응, 그래. 오르디아 씨, 유적에 들어가면 조심해줘."

"응, 미안하군."

오르디아가 진심으로 사과했다. ……게임에서는 과묵해서 필요 이상으로 말이 없었던지라 조금 재미있었다.

아무튼 이건 대화로 오르디아의 본심을 알아볼 기회였다. ……그렇게 생각했을 때, 누가 내 외투를 당겼다.

"응?"

"저기, 루온 님."

소피아가 난처한 얼굴로 무언가를 가리켰다. 그 끝에는 내가 든 검이 있었다.

"……아."

무심코 뚫어지게 봤다.

오르디아의 검을 막은 결과, 검집째로 검에 반 정도 금이 갔다. 더는 못 쓰겠다.

마력을 주입하지 않고 막아서 버티지 못했다. 오르디아, 좋은 검 쓰네.

"아, 으……."

이 사실을 알아차린 오르디아의 안색이 살짝 창백해졌다.

……이것도 게임에서 못 본 광경이라 신선한데?

"에이, 괜찮아."

그때, 유노가 거들었다.

"이거 싼 거라 문제없어."

"왜 네가 말하는데."

나는 유노에게 태클을 걸고 오르디아에게 말했다.

"신경 쓸 거 없어. 대책이 있으니까."

다만…… 내 능력에 맞춰 개량한 검이라 나름대로 품과 시간이 들었다. 같은 것을 만들려면 시간이 조금 걸릴 것 같았다.

처음에는 수행 시절에 썼던 검으로 대신할까 했지만, 지금의 내 마력에 맞지 않아 또 부서질 수도 있었다. 몸이 반사적으로 움직이는 오르디아를 막으려면 검이 부러지지 않게 연구해야 하나…….

"일단 이번에는 마법으로 대신할까?"

"오, 마법으로 무기를 만들게?"

길버트가 물었다.

"그런 게 가능한데 왜 무기를 갖고 다녀?"

"검이 있어야 얕보이지 않을 것 같아서."

시나리오 시작 당시, 핀트 마을에서 검사 분위기를 내는 편이 나을 것 같아 갖고 있었는데…… 이제 필요 없나?

"아무튼 오르디아 씨는 신경 안 써도 돼. 아, 빚이 하나 있는 거로 치자."

"아, 알겠다."

오르디아의 안색이 돌아왔다. 트러블이 생겼지만 이야기를 나눌 계기가 됐네.

하지만 아직도 난제가 있었다. 방해하지 말라는 표정의 다른 전사들……. 나는 귀찮은 일이 생기지 않기를 바라며 길버트에게 가자고 말했다.

부러진 검은 일단 수납함을 소환해 넣어두고 숲으로 향했다. 도중에 오르디아와 대화를 나눴다. 그는 보물 사냥꾼을 자처하며 정보를 모으기 위해 동행했다고 했다.

나는 이야기를 들으며 그를 관찰했다. 마족에게 임무를 받고 연기하는 느낌은 들지 않았다. 있는 그대로 대하는 것 같았다.

"루온 씨 쪽은 무슨 이유로 여행하지?"

오르디아가 물었다. 나는 조금 고민하고 대답했다.

"간단히 말하면 강해지려고?"

"강해진다, 라…… 마족의 위협에 대비해서?"

"그런 거지."

"저도 같은 목적입니다."

소피아가 말을 맞췄다. 연기 지도는 한 적이 없는데 위화감 없이 대화했다. 솔직히 고마웠다.

소피아와 함께 잡담을 나누며 걷다가…… 이내 숲에 도착했다. 길버트는 마물이 있는지 확인하고 앞으로 가자며 호령했다.

숲 안으로 들어가자 피부에 엉겨 붙는 것 같은 마력이 느껴졌다. 장기처럼 기분 나빠지는 않지만, 누군가에게 감시당하는 것 같은 위화감이 들었다. 그것은 천사의 유적이 내뿜는 마력이었다.

"거의 다 왔어."

길버트의 말과 함께 얇은 막을 뚫고 지나가는 느낌이 들었다. 이곳은 유노와 만난 유적과 다르게 외부에서 유적을 볼 수 없게 하는 천사의 마법이 유지됐다. 지금은 마을에 있는 마법사가 처리해 들어갈 수 있었다.

유적이 내뿜는 마력과 다른 기척이 느껴졌다. 마물이 날뛰는 게 분명해서 나는 오른손에 마력을 모았다.

"나와라— 마(魔)를 쫓는 검."

손바닥에 빛이 모이더니 부러진 검과 같은 길이의 장검 한 자루가 나타났다.

"오오."

소피아가 검을 보며 입을 열었다.

"그게 마법 검이군요."

"처음 봐?"

"네. ……루온 님, 혹시 다른 무기도 만들 수 있습니까?"

"응? 아, 응. 검은 여러 종류 만들 수 있고, 창이나 활도……"

내가 말할 때마다 소피아의 표정이 밝아졌다. 관심을 끌 만한 말을 했던가?

"무기를 여러 개 쓸 수 있어서 좋겠는데?"

우리 대화를 듣고 있었는지 길버트가 끼어들었다. 나는 「고마워」라고 대답했고— 드디어 유적이 모습을 드러냈다.

돌로 지은 그것은 폐허처럼 여기저기가 무너졌다. 외관으로는 어떤 시설인지 판단하기 어려운데…… 굳이 말하면 연구시설인가? 2층짜리 건물이고 우리 눈에는 정면만 보여서 전체적인 모습은 명확하지 않았다.

그리고 입구 주변에는 마물이 있었다.

"빠른데……"

길버트가 검을 뽑았다. 다른 전사들도 각각 무기를 들고, 대검을 든 사람이 선두에 섰다. 소피아와 오르디아도 검을 들고 전투태세에 들어갔다.

적은 오른손에 검, 왼손에 방패를 든 청동 갑옷의 기사로, 갑옷 안은 텅 비었고 게임에서는 『천계의 인형』이라는 이름이 붙어있었다.

천사들이 경비로 배치했다고 전해지며, 마왕이 침공해서 생긴 마물들과는 성분이 완전히 달랐다. 즉, 보물과 함께 천사가 남긴 유산이었다. 오르디아도 아군이 아니라 망설임 없이 쓰러뜨릴 수 있었다.

힘은 소피아를 시험한 숲의 마물들보다 조금 센 정도— 그러니 충분히 이길 것이다.

전사들이 먼저 움직였다. 다만, 발이 맞지 않았다. 보물을 차지하기 위해 모였는지 길버트가 말리는데도 마물에게 덤볐다.

"이거…… 안 좋은데……."

"안 좋아?"

내 중얼거림에 유노가 반응했다.

"전사들의 기량이 부족하다고?"

"좀 달라. 무슨 일이 일어날지 모르는 곳에서 개인이 마음대로 움직이면 위험하다는 뜻이야."

"나는 어떡하면 되지?"

오르디아가 물었다. 그를 보니 상관의 명령을 기다리는 부하처럼 서 있었다.

……인간과 함께 싸우는 건 처음이라 지시해주길 바라나?

"음, 마법은 쓸 수 있어?"

"잘 쓰진 못해."

"알았어. 그럼 숲 속에서 마물이 나타날 수도 있으니까 주변을 경계해줘."

"알겠다."

그가 경례할 것 같은 자세로 대답하고 주위를 살폈다.

"소피아, 마법으로 전사들을 지원하자. 나도 할게."

"네."

"유노는 여차할 때 보조 마법을 쓸 수도 있으니까 준비해둬."

"네~에."

태평한 목소리가 들린 순간, 전사가 공격하기 시작했다. 먼저 대검을 든 검사가 천계의 인형을 옆으로 베어 넘기려 했다.

호쾌한 일격은 기세가 넘치고 위력도 충분했다. 제대로 맞은 적의 몸이 두 동강 나고 소멸했다. 실력이 상당했다.

"좋았어! 이대로 밀어붙인다!"

이길 수 있다고 판단한 길버트가 명령하자 다른 전사가 진격했다. 우리도 그들을 따라 건물 안으로 들어갔고— 그대로 멈췄다.

정확히 말하자면 전사들이 멈칫하며 걸음을 멈춰서 막혔다.

"……많군."

오르디아가 제일 먼저 감상을 늘어놨다.

시야에 들어온 마물은 수많은 천계의 인형이었다. 통로에 빼곡이, 열이나 스물로는 부족할 만큼 서 있었다.

길버트도 돌파하려 하지 않겠지……. 예상대로 그는 서둘러 새로운 지시를 내렸다.

"이, 일단 퇴각하고 태세를 정돈한다!"

"그건, 무리 같네요."

소피아가 말했다. 숲을 보니 다른 마물들이 숲에서 줄줄이 나오고 있었다.

오른쪽 반신은 파랑, 왼쪽 반신은 짙은 갈색 털을 가진 기묘한 개. 게임에서의 이름은 『천계의 경비견』이었다. 능력은 천계의 인형보다 못하지만, 짝을 이루면 끈질겨서 짜증 나는 적으로 분류됐다.

유적에는 경비, 숲에는 경비견— 포위되고 말았다.

"이, 이봐! 어떡해?!"

빠르게 닥친 위기에 한 전사가 당황했다.

이대로 부질없이 따지거나 하지는 않겠지만, 전사들이 무슨 짓을 할지 몰랐다. 길버트도 판단을 망설이고 우왕좌왕했다. 소피아와 오르디아는 냉정했지만, 지시를 기다릴지 독자적으로 움직일지 망설였다.

마물들이 포위를 좁혔다. 이대로 우두커니 서 있으면 누가 희생돼도 이상하지 않았다. ……하는 수 없지. 해볼까?

"거기 방패 든 둘!"

내 외침에 두 사람이 동시에 움찔 반응했다.

"천계의 인형은 우리가 방어하면 상황을 살피느라 적극성이 사라져. 그걸 이용해서 시간을 벌어줘!"

"그래서 어쩔 건데?!"

"우선 퇴로를 확보한다! 길, 전사 중에 마법 쓰는 사람 있어?"

"나, 하급 마법이라면……."

"그럼 방패 든 둘을 마법으로 지원해줘. 남은 한 사람도 대검으로 움직임을 막고, 아무튼 시간을 벌어줘."

할 일이 명확해졌기 때문인지 전사들이 표정을 다잡고 나란히 고개를 끄덕였다.

"좋아. ……그럼 오르디아 씨, 바깥 마물을 처리하자. 협력해줘."

"물론이다."

"소피아도, 되겠어?"

"물론입니다."

"힘내, 소피아."

유노의 성원을 받으며 우리는 밖으로 나갔다. 색 조합이 기분 나쁜 경비견이 위협을 하려는지 으르렁거리기 시작했다.

내 오른쪽에 소피아, 왼쪽에 오르디아가 서서 맞서 싸울 자세를 잡았다.

"달려들면 옆으로 피하며 반격. 그게 효율적이야. —단번에 처리하자."

그 직후, 경비견이 목을 물어뜯으려고 달려들었다.

나는 달려드는 적을 옆으로 봄을 기울여 피하고 검을 휘둘렀다. 마력으로 만든 검이 베는 맛 좋게, 저항도 거의 없이 마물의 몸을 반으로 갈랐다.

돌격한 다른 경비견도 가볍게 피하고 일격으로 쓰러뜨렸다. 오르디아에게로 시선을 돌리자 경비견 한 마리를 간단히 베고 여러 적에게 검을 겨눴다.

승부가 되지 않을 정도로 압도했다. 두 자루의 검을 충분히 활용해 다가오는 마물을 예외 없이 쓰러뜨렸다. 스삭, 단칼에 소멸하는 광경은 보기만 해도 기분이 좋았다.

이어서 소피아에게로 눈을 돌렸다. 그녀는 바람 속성 하급 마법 『에어리얼 소드』로 직선상에 있는 마물을 날려버렸다.

바람 빠지는 소리와 숲에 처박히는 마물— 예전보다 위력이 올랐다. 레핀과 계약했기 때문이군.

둘 다 걱정 없었다. 이 상태라면 유적 내부에 들어가서도 활약해 줄 것이다.

다시 앞을 보니 다음 마물이 달려들었다. 나는 피하는 게 귀찮아 정면으로 맞섰다.

돌진하는 마물의 머리를 노려 검을 옆으로 휘둘렀다. 감촉조차 느껴지지 않을 정도로 쉽게 날이 들어갔고— 마물은 소멸했다.

"훌륭하군."

오르디아의 말에 돌아보니 주변 마물들을 전부 쓰러뜨리고 서 있는 그가 있었다.

소피아도 일단 마물들을 모두 쓰러뜨렸는지 숨을 돌리고 있었다. 이 정도 적이라면 소피아에게도 상대가 되지 않는 모양이었다.

그럼 다음은 마물 지원군이 오느냐, 안 오느냐……. 숲에 있는 마물이 전멸하지는 않았을 텐데, 달려들 기척이 없었다.

"둘 다, 더 할 수 있겠어?"

내 물음에 두 사람이 동시에 고개를 끄덕였다.

"인형과 싸우는 거 말인데, 나와 오르디아 씨가 하자. 소피아는 마법으로 지원 부탁해."

"알겠습니다."

"분부대로."

딱딱한 오르디아의 대답을 들으며 다시 유적 안으로 들어갔다. 방패로 천계의 인형을 막는 두 전사와 지원하는 길버트 일행이 보였다. 다치지는 않아 보였다.

"우리가 할게!"

내가 그렇게 외치자 길버트 일행이 즉각 좌우로 비켜서 길을 열었다. 나와 오르디아는 재빠르게 앞으로 나가 교전을 벌였다.

먼저 선제공격— 가까이 있던 인형에게 인사 대신 검을 옆으로 휘둘러줬다.

적은 방어하지 못하고 뒤로 날아갔다. 다른 인형이 휘말려 금속끼리 부딪치는 요란한 소리가 실내를 채웠다.

오르디아가 그 뒤를 이었다. 인형에게 검을 휘둘러 양단— 바닥에 청동 갑옷이 구르며 내는 소리에 귀가 울렸다.

"루온 님!"

그때, 소피아의 부름이 들렸다. 즉각 옆으로 물러서자 원래 서 있던 곳을 바람이 뚫고 지나갔다.

밖에서 썼던 『에어리얼 소드』였다. 통로가 좁고 직선이라 적을 공격하는 이 마법과 상성이 좋았다. 바람을 맞은 인형 여러 마리가 소멸했다.

이 상태로, 라고 생각하며 오르디아를 봤다. 그는 내 시선을 알아차리고 즉각 괜찮다고 눈으로 대답하며 인형을 격파했다.

나도 그에 대답하듯이 검을 들고 다가오는 인형을 내리쳤다.

그 뒤로는 나와 오르디아가 연계 공격을 하고, 소피아가 마법으로 적확하게 지원하는 것의 반복이었다. 전법이 확정되면 그 뒤는 일과 같은 것이라 15분 만에 입구 주변에 있던 인형들이 전멸했다.

"이야~, 덕분에 살았어."

안으로 들어가기 전에 휴식을 취하는데 길버트가 말했다.

"수가 많아서 어떡하면 좋을지 몰랐다니까."

"그 늦은 판단이 목숨을 앗아간다고."

"나도 알아. 그래도 막상 일이 닥치니까 머리가 안 움직여."

길버트가 쓴웃음을 지었다. 다른 전사들도 그의 의견에 맞아, 맞아 하고 찬동했다.

참고로 오르디아는 팔짱을 끼고 홀로 묵묵히 이상은 없는지 망을 보고 있었다. 내가 부탁하긴 했지만, 그렇게까지 기합 넣을 필요는……

"조금 전의 지휘, 훌륭했습니다."

소피아의 목소리였다. 얼굴을 보니 조금 흥분한 기색이었다. ……별로 대단한 것도 아닌데. 어디까지나 마물의 특성을 고려해 지시한 것뿐이니까.

아무튼 나에 대한 평가가 올라간 것은 분명했다. 그렇게 생각하니 조금 부담스럽지만…… 뭐, 칭찬받으니 기분이 나쁘지는 않았다.

"소피아, 마법을 계속 썼는데 마력량은 괜찮아?"

"여유롭습니다."

"그래. 유적 규모가 어느 정도인지 모르니까 되도록 절제해 줘. 이것도 수행이야."

"네."

"그런데 루온 씨."

그때 길버트가 옆에서 끼어들었다.

"응, 왜?"

"앞으로 어떡해?"

그 물음에 나는…… 뭐?

"이봐, 잠깐만."

"왜?"

"어떡하냐니, 리더는 너잖아?"

"아니, 지금은 냉정하게 판단할 수 있는 루온 씨가 리더를 할 때지."

상황적으로 그게 최선이라 해도 다른 사람이 납득하겠어?

―전사들이 그래, 맞아, 하고 고개를 끄덕여서 「야!」 하고 태클을 걸고 싶었다. 손바닥 뒤집는 거 너무 빠르잖아!

"그럼 루온 씨, 부탁해."

길버트가 요구했다. 조금 전의 전투를 돌이켜보면 그게 최선일 테지만, 이렇게 간단하게 따라주다니…… 아니, 됐다. 일이 쉬워진 거라고 호의적으로 받아들이자.

"그럼―."

입을 열려는 순간, 유노가 유적 통로를 응시하고 있는 모습이 눈에 들어왔다.

"유노? 왜 그래?"

"……으…….."

게다가 끙끙거리기까지 했다. 얼굴을 들여다보니 눈을 가늘게 뜨고 미간에 주름을 잡고 있었다.

"무슨 일 있어?"

"아니…… 마력 흐름이 느껴지니까 가장 안쪽이 어디인지 판별할 수 있지 않을까 싶어서."

"어? 알 수 있어?"

"조금 더 하면, 아마도."

천사라서 그런가? 이거 좋은 소식인데?

"그럼 유노, 안에 숨어 있는 마물 수도 알 수 있어?"

"구체적인 숫자는 모르지만, 입구 부근에 뒤엉켜있던 마력과 비교하면 아주 희미해."

"그럼 아까보다 많은 수가 밀어닥치지는 않겠네. 또 아는 건?"

"한층 큰 마력이 꽤 안쪽에 있어."

아마 보스겠지. 자, 어떡할까…….

"안쪽 마물을 쓰러뜨리면 유적 안에 있는 마물들의 움직임이 둔해질지도 몰라."

이어서 길버트가 말했다.

"그쪽을 우선하는 게 메리트도 크겠지. 유적 안을 구석구석 조사하는 건 내일도 할 수 있고."

—보스 중에는 사령탑 역할을 맡는 녀석도 있었다. 이번에

도 해당할지는 모르지만, 쓰러뜨리면 그의 말대로 탐색이 편해질지도 몰랐다.

"그럼 당장 안에 있는 마물을 쓰러뜨리자."

모두의 표정이 바뀌었다. 그리고 내 지시에 따를 셈인지 시선을 보내는 전사들…… 조금 속이 아픈데―.

지금까지 단독행동만 했고, 이끌어본 적은 없으니까…… 이것도 경험인가.

"음, 앞으로 나아가야겠는데…… 오르디아 씨와 내가 앞에서, 소피아는 지원. 남은 사람은 뒤를 경계……해도 될까?"

"좋아."

전사들이 승낙했다. 위치가 반대라 거절하면 어떡하나 싶었는데, 한숨 놓았다.

"그럼 가자."

새로운 대열로 유적 안으로 향했다. 도중에 마물이 여러 차례 공격했지만, 전부 단발로 끝났다. 나와 오르디아라면 어렵지 않게 대처할 수 있었다.

뒤에서 마물이 나타나 공격하는 경우도 있었다. 하지만 첫 전투 때처럼 수가 많지 않았고 길버트 일행이 착실하게 대응했다. 연계만 되면 무찌르는 게 어렵지 않았다.

입구에서는 수가 많아서 고생했지만, 그 뒤로는 순조로웠다. 탐색이 진행되자 유노도 마력 발생원을 알아냈는지, 그녀의 안내에 따라 나아갔다.

보통 탐색에는 시간이 걸려서 아티팩트를 입수하기까지 꼬

박 며칠이 걸리는 것도 각오했는데…… 이번에는 하루면 끝날 것 같았다.

이윽고 커다란 문이 눈에 들어왔다.

"응, 저 안에 거대한 마력이 있어."

유노에게 묻자 확실하게 말했다. 보스인 걸까, 아니면 아티팩트 때문일까……. 어느 쪽이든 지금까지와는 다를 것이다.

"우선 문을 열고 어떤 적인지 확인하자. 아, 들어가지 말고. 문이 닫히고 잠겨서 도망치지 못하게 되면 비참해."

"내가 있던 유적에서 저질렀던 거네."

유노의 농담에 나는 「그래, 맞아」라고 대답하고 말을 이었다.

"나와 오르디아 씨, 소피아 외의 다른 사람이 문을 열어줬으면 좋겠어."

"그럼 내가—."

대검을 든 전사가 손을 들었다. 나는 그에게 「부탁해」라고 말했고…… 드디어 문 정면에 도착했다.

"그럼 연다."

전사가 말과 동시에 천천히 문을 열었다. 그 너머에는 있는 것은—.

"같은 인형인데, 색이 붉군."

오르디아가 말했다. —이 녀석은 『루비 나이트』다.

"기억나."

나는 서두를 떼고 설명했다.

"여태까지 만난 적보다 한 단계 더 강한 힘을 가졌지만, 충분히 이길 수 있어."

보스는 문을 열어도 반응하지 않았다. 방에 들어간 순간 공격하도록 명령받은 것 같았다. ……전생 직후, 유적에서 만난 『샌드 골렘』과 같았다.

"어떡할까요?"

소피아가 루비 나이트를 경계하며 물었다.

"저는 지구전보다 단기결전이 바람직하다고 생각합니다만."

"그러면 한 번에 어느 정도의 피해를 줄 수 있는가에 달렸네. 내구력은 그렇게 높지 않으니까 강력한 기술이 있으면 한 번에 처리할 수도 있어. 오르디아 씨, 어때?"

"위력적인 기술은 있지만, 일격에 처리하는 건 어려운데."

그렇게 말하는 그의 표정이 조금 딱딱했다. ─게임에서는 다른 주인공보다 레벨이 높았다. 본래 지닌 힘으로 충분히 격파할 터였다. 남의 눈이 있어서 하고 싶지 않나?

"소피아는 어때?"

"저, 말씀이십니까? 마법으로는 어려울 것 같으니 기술로 해야 할 텐데…… 어려울 것 같습니다."

중급 이상의 기술이나 마법을 습득하지 않은 소피아에게는 당연한 대답이었다.

하지만 나는 기회라고 생각했다. 현재 소피아가 힘을 얼마나 끌어낼 수 있을지 확인하는 데 이용할 수 있었다.

"레핀, 잠깐 괜찮아?"

내 부름에 실프의 여왕이 모습을 드러냈다.

"뭔가요?"

"레핀이 협력해서 소피아의 기술을 강화할 수 있어?"

"가능하지만, 저 마물을 일격에 쓰러뜨리려면 억지로 마력을 끌어내야 해요. 소피아 님께 부담이 커서 한 번밖에 쓰지 못합니다."

"충분해. 소피아, 저 녀석은 바람 마법에 약해. 그러니까 레핀과 협력해서 혼신의 일격을 먹이면 쓰러뜨릴 수 있을 거야. 그리고 오르디아 씨, 나랑 같이 기사의 태세를 무너뜨려서 소피아의 공격이 통할 수 있게 틈을 만들자. 할 수 있겠어?"

"괜찮다."

······진짜 다루기 쉽네.

"만약 쓰러지지 않으면 내가 붙어서 도울게."

"루온 씨가 메인이 아니라?"

길버트가 물었다. 그것도 한 방법이지만—.

"다 같이 공격했다가 실패했을 때의 반격이 무서워. 나는 저 마물의 특성도 아니까 무리 없이 커버할 수 있어. 부상자가 없으려면 내 제안대로 하는 게 나아."

"오, 그렇군······. 그럼 우리는 퇴로를 확보하면 돼?"

"응, 부탁해."

대화를 하는 동안에도 적에게 시선을 보냈지만, 여전히 반응이 없다. 얼마든지 준비할 수 있겠다.

"소피아 님, 제가 소피아 님의 몸 안으로 들어가서 신호를 보낼 테니 신호에 맞춰 마력을 끌어올려주세요."

레핀이 사라지자 소피아가 마력을 모으기 시작했다. 여태까지와 다른 기척— 고요하면서도 존재감을 내뿜는 모습에 전사들도 눈을 크게 떴다.

"—루온 님, 됐습니다."

"좋아. 오르디아 씨, 가자."

"그래."

우리는 방 안으로 발을 들였다. 루비 나이트가 그에 반응해 우리에게 검을 겨눴다.

적의 전법은 방패로 방어하며 허를 찔러 검을 내지르는 정통적인 전법으로 움직임을 읽기 쉬웠다.

상대의 첫 공격은 나를 향했다. 기세는 있지만, 마력으로 강화하지 않고 대응할 수 있는 정도였다.

그 사이, 오르디아가 재빠르게 치고 들어가 방패를 든 왼팔을 노렸다.

내게 공격을 집중한 기사는 그의 공격을 정통으로 맞았다. 끼기긱— 금속끼리 부딪치며 가시의 몸이 멈췄다.

나는 오른팔의 움직임을 봉했다. —그 순간, 소피아가 기사에게 뛰어들었다.

"가랏!"

호령과 동시에 마력이 팽창했고, 소피아가 비명과 비슷한 소리를 내지르며— 검을 옆으로 휘둘렀다!

검 끝이 기사에 닿은 순간, 실내에 숨이 멎을 정도로 거센 바람이 일었다. 그 여파로 내 외투가 휘날리는 와중에 여러 개의 바람의 검이 생겨나 기사를 공격했다.

검이 다소 주변으로 확산해 바닥과 벽에 상처를 입혔다. 다행히 나와 오르디아는 맞지 않았는데…… 제어하지 못한 모양이었다.

루비 나이트는 계속되는 공격에 몸이 떠오르더니 세차게 떠밀려 날아갔다. 석벽에 등부터 부딪치고 돌이 산산이 부서지는 소리가 들렸다.

"윽……!"

소피아가 짧은 신음과 함께 주저앉았다. 한계였다.

"지금 공격으로 어떻게 됐지?"

길버트가 상황을 살폈다. 나는 루비 나이트를 주시했다. ……태세를 가다듬었으나 걸음이 부자연스러웠다.

"이제 한 방 남았나……. 오르디아 씨, 내가 마무리해도 되겠어?"

"해줘."

그럼— 나는 풍전등화 상태인 루비 나이트를 향해 선언했다.

"이걸로 끝이다."

다리에 힘을 싣고 육박한 나는 적의 반응보다 빠르게 검을 내리쳤다.

기술명도 없는 우직한 공격— 하지만 충분했다. 머리 위로 검을 맞은 기사는 성대한 소리를 내며 바닥에 쓰러졌고…… 이내 먼지가 되었다.

"승부가 났군."

나는 크게 한 번 숨을 내쉰 후 주저앉은 소피아에게 다가갔다.

"다치지는 않았어? 바람의 검이 퍼졌는데."

게임에서는 아군의 공격에 맞지 않게 되어 있다. 하지만 현실에서는 자신의 기술과 마법이 튕겨 돌아올 위험성이 있었다. 집단전이 벌어지면 더 현저해지니 앞으로 주의해야겠다.

"괜찮, 습니다."

소피아가 숨을 고르며 대답했다. ……유노가 그녀의 어깨에 올라 「괜찮아?」하고 말을 걸었다.

완성까지는 아직 멀었지만, 이번 기술은 바람 속성 마도기—『풍화영참(風華靈斬)』이라고 하는 상급 기술로 구분되는 기술이었다. 실프의 여왕과의 계약으로 쓸 수 있었던 것 같았다.

단, 지금의 마력량으로는 한 번이 한계인 것 같으니 냅다 쓰지는 못하겠다.

"……엄청난 공방이었어."

길버트가 감상을 늘어놨다. 다른 전사들은 넋을 잃었다.

"뭐, 어쨌든…… 루온 씨, 아티팩트 확인해야지."

"응."

보물상자는 방 안쪽에 있었다. 다행히 상자는 바람의 검의 영향을 받지 않고 무사했다.

나는 오르디아와 함께 다가가 뚜껑에 손을 댔다. 두 개 이상 있지는 않을 테니 그와 교섭해야 했다.

어떻게 설득할지 고민하며 뚜껑을 열고 안을 봤다. 그곳에는—.

"……어?"

눈이 휘둥그레졌다. 오르디아도 놀랐는지 말을 잃었다.

"왜 그러세요?"

소피아의 부름에 바로 대답하지 못했다. 이유는—.

"……없어, 아티팩트가."

"뭐? 기다려 봐."

길버트가 잰걸음으로 다가와 상자를 들여다봤다.

"정말이잖아…… 이중구조? 아니, 그것도 아닌데……."

상자를 뒤적이는 길버트를 내버려 두고 나는 소피아의 어깨에 있는 유노에게 물었다.

"아티팩트로 보이는 마력은 있어?"

"아니. 아까 마물이 쓰러지면서 마력도 사라졌어. 그런데……."

"그런데?"

"저 상자 부근에 천사와는 다른 마력이 남아 있어."

"누가 이곳에 들어와서 아티팩트를 가져갔다고?"

"그런, 건가. 그런데 그렇다면 마물이 있는 게 이상하지 않아?"

확실히…… 기척을 숨기고 아티팩트만 훔쳤다고? 상당히 노련한데—.

잠시 생각에 잠겨 있는데 갑자기 레핀이 소피아의 옆에 나타났다. 그리고 우리 쪽으로 다가와 보물상자 주변을 탐색했다.

"……이건……."

"알겠어?"

내 물음에 레핀이 몸을 돌렸다.

"아뇨, 그…… 적어도 마족의 짓은 아닌 것 같습니다만."

"어느 쪽이든, 여기에는 보물이 없나…… 아쉬운데."

원점으로 돌아왔지만, 이런 일도 있는 거지. 나는 생각을 고치고 일행에게 말했다.

"가장 안쪽에 있는 마물은 무찔렀어. 소피아도 지쳤으니 일단 돌아갈까?"

"찬성이야."

길버트가 대표로 승낙했다. 우리는 왔던 길을 돌아가기로 했다.

제8장 정령을 초월한 자

아티팩트라는 명확한 성과는 얻지 못했는데…… 앞으로 어떻게 해야 할지 마을로 돌아가 생각해보자.

그리고 문제가 하나 생겼다. 마력이 다한 소피아는 비틀비틀 걷는 게 한계였다. 보스가 쓰러져서 마물들이 얌전해졌지만, 그렇다고 해서 소피아를 계속 걷게 할 수는 없었다. 그래서—.

"저, 저기, 루온 님. 그, 종자인데 이러는 것은……."

"제대로 움직이지도 못하면서, 그냥 있어."

아이를 혼내듯이 말했다. ……나는 지금 소피아를 업고 걷고 있었다.

길버트나 전사들이 할 수도 없는 노릇이고 오르디아도 「그건 봐줘」라고 말한 이상, 소거법으로 내가 업게 됐다. 그보다 나밖에 없으니까 어쩔 수 없었다. 이러고도 마법 정도는 쓸 수 있고, 마물이 나와도 대처할 수 있다. 응, 괜찮다.

나 자신에게 이것저것 말하며 걸었다. —왜냐하면 밀착도가 최고라 계속 생각하지 않으면 괜한 생각을 할 것 같으니까. 뭐라고 할까, 남자로서 생각할 만한 것이 있지만, 그걸 생각하기 시작하면 소피아에게 면목이 없으니 필사적으로 자제했다.

그냥 입 다물고 있는데도 머리가 마음대로 움직이지 않는다. ―아, 한 가지 떠올랐다. 이건 말해야 했다.

"소피아. 아까 쓴 기술 말인데…… 바람의 검이 바닥과 벽에 상처를 냈어. 제어가 부족하다는 증거야. 위험하니까 당분간 사용 금지. 알겠지?"

"아, 알겠습니다."

짧은 대화 후, 유적을 나왔다. 경비견은 보이지 않았고 기척도 없었다. 나는 생각했다.

"이 상태를 보면, 가장 안쪽에 있던 적이 유적 주변에 있는 마물을 제어한 건가?"

"그럼 이 유적은 이제 안전해?"

길버트가 물었다. 나는 고개를 가로저었다.

"마물이 통째로 사라진 건 아닐걸? 다만, 통로에 북적거릴 정도의 적이 공격하지는 않을 거야."

"그렇구나……."

그가 입가에 손을 대고 생각에 잠겼다.

"루온 씨, 확인 좀 할게."

"응."

"목적이었던 물건이 없으니 앞으로는 탐색에 참여하지 않을 거지?"

"그렇지……. 목적이 없어졌으니까."

"아니, 전력 면에서는 우리도 상관없어. 마물이 나타나도 루온 씨의 전투를 참고하면 어찌어찌 대처할 수 있을 거야.

문제는, 그쪽이지."

"……보수가 없다는 거?"

"맞아."

유적 안에 있는 보물을 찾은 것도 아니었다. 여기서 빠질 경우, 당연히 무료 봉사를 한 셈이 된다. 하지만—.

"우리는 상관없어. 그쪽이 미안하다면…… 빚으로 달아두자."

"그래도 괜찮겠어?"

"응. 그 밖에는…… 그래, 우리는 사정이 있어서 눈에 띄고 싶지 않아. 유적 탐색이 완료되고, 의뢰인이 뭐라 하거든…… 이름을 숨겨주겠어?"

"쉬운 일이지."

"그럼 나도 부탁하지."

오르디아가 편승했다. 길버트가 「좋아」 하고 승낙했다.

"루온 씨, 다른 건 없어?"

"음…… 앞으로 마왕과의 전투가 격화될 거야. 솔선해서 싸워달라고까지는 하지 않을게. 만약 싸울 의지를 가진 모험가가 있으면 협력해줘."

"이번 일과 관련 없는데…… 뭐, 그래. 알았어, 말한 대로 할게."

대화를 마치고 우리는 곧 숲을 나왔다. 길이 보이고 마물의 위험도 적어져 소피아를 내려줬다.

"폐를 끼쳤습니다."

"신경 쓰지 마. ……이제 괜찮아?"

"네, 괜찮습니다. 그럼 마을로 돌아가죠."

이후 천천히 걸어 마을에 도착했다. 장소는 아침에 모였던 북문 근처. 길버트 일행은 옆에서 내일 어떻게 할지 회의하기 시작했다. 한편 오르디아는 생각이라도 하는지 팔짱을 끼고 미동도 하지 않았다.

그는…… 만약 마족으로부터 아티팩트를 빼앗으라는 엄명을 받았다면 유적 안쪽에 도달하기 전에 빠져나가려고 했을 것이다. 하지만 오르디아는 내 말을 순순히 받아들이고 따랐다. 그리고 연기하는 것 같지도 않았다.

정찰 임무를 받은 것은 분명하리라. 함께 싸우는 자세를 고려하면 반기를 들 의사를 가졌다고 결론지어도 될 것 같았다. 이번 유적 탐색에 동행해 아티팩트를 얻으려고 한 것은 마왕을 배신한 뒤, 어디 있는지 들키지 않기 위해서인가? 마왕을 따르는 척하며 몰래 준비하고 있는 듯했다.

"……오르디아 씨는 어떡할 거야?"

그렇게 묻자 그가 눈을 마주 봤다.

"음, 검을 변상해야……."

"신경 쓰지 마. 빚 하나 달기로 했잖아? 만약 다음에 같이 행동할 기회가 있으면 잘 부탁해."

나는 오른손을 내밀었다. 오르디아는 순간 놀라더니…… 손을 내밀어 악수했다.

"루온 씨, 나야말로 잘 부탁해."

"마족의 습격으로 힘들겠지만…… 오르디아 씨, 무운을 빌어."

"고마워. ……깜빡했는데 나한테 존칭 쓰지 않아도 돼."

다 끝난 뒤에 말하냐…… 뭐, 이것저것 저지른 그다운 행동인가.

"다음에 만나면 그렇게 할게."

"응. 그럼 가겠다."

그는 손을 흔들고 그 자리를 떠났다.

"뭔가, 신기한 사람이네요."

소피아가 떠나는 그를 보며 감상을 말했다.

"말로 표현하기 어려운데…… 종잡을 수 없다고 할까요."

"독특한 분위기가 있어. 그리고…… 소피아."

나는 화제를 바꾸려고 이름을 불렀다.

"아티팩트…… 마력 대책은 다시 생각해보자."

"네. 그럼 이제 바로 노움의 거처로 가는 건가요?"

"그래."

지금은 애초 목표대로 움직이는 게 최선인가.

"그럼 나는 상황을 보고하러 갈게."

길버트 일행도 이야기가 정리된 모양이었다. 나는 그에게 말했다.

"앞으로도 조심해."

"응, 그쪽도 죽지 마."

작별 인사를 나누고 우리도 문에서 떠났다.

"지치기도 했으니까 내일 출발하자. 하루가 지나면 마력도 제법 회복되겠지."

"알겠습니다. ……정진하겠습니다."

"마력량은 천천히 수행하자. 기량은 있으니까 초조해하지 마."

일단 여유롭지는 않을 것 같았다.

근처에 있던 여관에 들어가 각자 다른 방에서 쉬기로 했다. 할 일도 없으니 느긋하게 쉬려는데, 레핀이 왔다.

"이야기 좀 나누고 싶은데, 괜찮으세요?"

"유적에서 있었던 일 때문에?"

"네, 그렇습니다. 아까 그곳에는 다른 사람도 있었기에 바로 보고하지 못했습니다."

"그럼 아티팩트를 훔친 존재가 누구인지 안 거야?"

레핀이 고개를 끄덕였다. 표정을 보니 심각한 것 같았다.

"아주 희미하지만, 마력을 느꼈습니다. 그건 정령의 짓이에요."

"정령……?"

"천사의 유적 주변에 있던 마력과 동화해 마물에게 들키지 않고 아티팩트만 가지고 갔을 겁니다."

"천사의 유적 안에는 특수한 마력이 있잖아? 그 말은 그걸 떨치고 활동할 수 있을 정도의 정령인가……. 무엇 때문에?"

"모릅니다."

"그래서, 그 정령은?"

내 말에 레핀이 조금 뜸을 들이고 말했다.

"루온 님은 『신령』을 아십니까?"

또 엄청난 이름이…… 나는 그녀에게 「물론」이라고 대답했다.

이 대륙에는 수많은 정령이 있는데 그중 특급에 해당하는 정령― 신령이라고 불리는 세 존재가 있다. 불과 바람을 관장하는 불사조 페우스. 물과 어둠을 관장하는 수왕(水王) 아즈아. 남은 하나는 이 마을 동쪽 ― 이곳과 노움의 거처 사이 ― 에 있는 영봉(靈峰) 스라테드산과 산기슭 숲이 근거지인 땅과 빛을 관장하는 신랑(神狼) 가르크다.

이 셋은 마왕과 인간의 전쟁에 간섭하지 않았다. ―즉, 게임에 등장하지 않았다. 하지만 5대 마족 중 누군가 언젠가 표적으로 삼겠다고 했었다. 어쩌면 마왕 쪽에 있어서 강적은 그들일지도 모르겠다.

아무 생각 없이 내가 신령과 싸우면 이길 수 있을지 생각해 봤다. 정령들이 신령에 경의를 표하는 것은 분명했다. 그렇다면 실력은―.

그때, 이야기의 본론과 다르다는 것을 알아차리고 생각을 멈췄다.

"음, 신령이 아티팩트를 훔친 건가. 참고로 세 신령 중 누구의 마력을 느꼈어?"

"가르크 님입니다."

"그렇구나. ……유적에 있었던 아티팩트를 손에 넣으려면 신령과 교섭해야 하나."

"싸우게?"

유노가 웃으며 물었다.

"루온의 실력으로 이길 수 있을까?"

"저기 말이야, 신령은 이번 전쟁에 관여하려 하지 않지만, 적은 아니야. 오히려 쓰러뜨리면 엄청난 일이 되니까 싸움은 피해야 해."

"못 이긴다는 말은 하지 않네요……."

레핀이 쓴웃음을 지었다. 실프의 여왕이어도 신령은 엄청난 존재다. 그런 것을 쓰러뜨릴지도 모르는 인간이니 심경이 복잡하겠지.

"사정을 잘 설명하면 될 거야. ……레핀, 협력해줄래? 말을 전해줬으면 해."

"……으음, 글쎄요."

레핀이 뺨을 긁적이며 난감한 표정을 지었다. 아주 내키지 않는 말투인데…….

"역효과가 날 수도 있습니다."

"왜?"

"몇 번인가 무단으로 숲에 들어간 적이 있는데…… 들켰으면 자칫 잘못하다간 제재될 가능성이……."

"……뭐 하고 다닌 거야……."

나는 머리를 감싸 쥐었다. 이번에는 유노가 질문을 던졌다.

"있지, 있지, 루온. 그 신령님은 애초에 아군이 될 수 없어?"

"……미묘한데. 이야기에서는 활약한 적이 없으니까."

"이번에 아티팩트를 가져간 건 어떻게 받아들이면 될까?"

"이유는 모르지만…… 신령 가르크가 마왕의 습격을 알아차리고 뭔가 하고 있는 건 분명해."

게임에 묘사되지는 않았지만, 실제로는 몰래 행동했나? 여하튼 아티팩트가 걸렸으니 가보자.

"레핀이 교섭하지 못하면 운에 맡겨야 하는데…… 뭐, 이야기해볼까."

무엇보다 신령들이 마왕과 맞서는 것은 피하고 싶었다. 사방을 날아다니는 사역마의 보고에 의하면 대륙은 주인공들의 동향을 포함해 시나리오대로 흘러가고 있었다. 이것을 무너뜨리고 싶지 않으니 교섭하더라도 확실히 말해둬야겠군.

"가장 가까운 마을에 도착하면 숲에 들어가 보자……. 소피아가 의심하지 않게 움직여야 하니까 심야에 움직여야겠네."

"신령과 만나는 데 시간대는 문제가 되지 않습니다."

레핀이 의견을 냈다.

"밤낮 상관없이 활동하니까요."

"알았어. 그럼 심야에 가자."

"하지만, 저는 안 갑니다."

"나는 같이 갈래. 루온만 가면 걱정되니까."

유노가 즐겁게 주장했다. 나는 한숨을 내쉬었다.

"……안 좋은 느낌이 드는 건 나뿐인가."

"뭐야~, 도움이 된 적도 있잖아?"

"그렇지만…… 어차피 무슨 말을 하든 따라올 거잖아? 그럼 맡길게."

유노가 방긋 웃었다. 나는 그 태도에 쓴웃음을 지을 수밖에 없었다.

다음 날, 소피아의 마력이 회복돼서 아침부터 노움의 거처로 향했다.

거리를 둘러보다 문득 이곳도 전화(戰火)에 휩쓸리나 싶었다. 만약 그렇더라도 어떻게 할 방법이 없었지만……. 지금의 내가 할 수 있는 것은 주인공들을 지원하고 조금이라도 빨리 마왕과의 전쟁을 끝내는 것이었다.

조금 감상에 젖으며 동문에 도착하니— 낯익은 인물이 있었다.

"여~."

길버트였다. 나는 의아한 시선을 보냈다.

"그런 표정 짓지 마……. 내가 여기 있게 된 경위 먼저 들어줘."

그가 푸념하는 말투로 이야기하기 시작했다.

"어제 조사 상황을 보고했어. 가장 안쪽에 있는 마물을 쓰러뜨렸다고 하니까 그 녀석들이 『그럼 앞으로는 우리가 맡지』라잖아? 웃기지도 않아."

……미로인 유적 탐색은 위험성이 컸다. 그곳에서 기사와 병사를 잃게 되면 차마 눈 뜨고 볼 수 없다. 마을 방비를 정돈하느라 바쁘다는 이유로 위험성을 고려해 우선 길드에 등록한 전사에게 의뢰한 것이리라.

하지만 보스까지 쓰러뜨리면 유적 위험도는 낮아진다. 「우리가 하겠다」고 해도 이상하지 않았다. 물론 이런 짓을 하면 신용을 잃기 때문에 보통은 하지 않는데…… 이번에는 긴급사태

이기도 하고, 어서 유적 보물을 갖고 싶어서 그렇게 결단을 내린 모양이었다.

"보수는 나름대로 받았지만, 유적을 뒤진 것에 비하면 새발의 피야. 동료들도 분개했지만, 우리는 어쩔 방법이 없어서…… 그렇게 일이 끝났어."

"그거 참 안 됐네."

"그래서 루온 씨랑 동행할까 해."

"……이야기의 앞뒤가 안 이어지는데."

갑작스러운 제안에 어떡하면 좋을지 고민했다. 동행자가 늘면 소피아의 정체를 들킬 위험성도 높아지는데…….

"루온 씨네는 지금부터 노움의 거처로 가는 거지?"

"응, 어제 대화를 엿들은 거야?"

"미안해. 아무튼 나도 정령의 힘을 가져야겠다는 생각이 들었고, 그럼 같이 가야겠다 싶어서 루온 씨네를 기다렸어."

"노움의 거처까지 같이 가면 돼?"

"바로 그거야. 부탁해."

어떡할까…… 소피아에게 확인받았다.

"그렇다는데 어떻게 할래?"

"저와 관련해서 말을 꺼내지 않으면 문제없으니 괜찮지 않을까요?"

……여기서 「무리다」라고 버티는 것도 수상한가. 그리고 게임과 다르게 가벼운 성격을 숨겼고 소피아를 대하는 방식도 말끔했다. 문제가 될 만한 점은 없나……. 만약 있으면 내쫓

아버리자.

그렇게 결론을 내리고 말하기 직전, 길버트가 입을 열었다.

"여기서부터 동쪽은 나도 잘 알아. 요리 잘하는 가게도 알려줄게."

"오오!"

아, 유노가 반응해버렸다.

"루온, 꼭 동료로 들이자!"

"돌아서는 거 빠르네, 너⋯⋯. 알았어. 단, 우선은 노움의 거처까지야."

"알았어. 잘 부탁해."

길버트가 가벼운 말투로 답했다. 괜찮을까, 일말의 불안을 느끼며 다시 여행을 재개했다.

그리고 소피아의 이동마법 훈련이 시작됐다. 점점 조작이 익숙해지는 소피아의 옆에서 유노가 「힘내~!」라고 응원했다.

"역시 마력량이 문제네요."

공중에 뜬 소피아가 말했다.

"조작할 수 있게 됐지만, 마력이 훅훅 주는 게 잘 느껴집니다. 장시간은 무리군요."

"이 마법을 계속 쓰면 마력량이 조금씩 늘 테니, 성실하게 노력하는 것만 남았네."

다만⋯⋯ 소피아가 가진 높은 성장능력이라면, 사선(死線)을 헤쳐 나오면 마력량이 단번에 늘어날지도 몰랐다. 아무리 그래도 고의로 그럴 생각은 없지만.

"뭐랄까, 수행은 지루하구나~."

길버트가 문득 말을 꺼냈다. 그러자 유노가 끼어들었다.

"하지만 이런 부분에서 실력 차이가 난다고."

"그렇게 말해도……."

"오빠도 해볼래?"

유노의 말에 길버트가 진지하게 생각했다.

─게임 동료에, 현자의 핏줄인 소피아가 가까이 있다. 예전에 게임 주인공인 필리와 함께 행동했던 전사 코리가 쑥쑥 강해졌듯이 길버트도 우리와 함께 싸우면 강해질 터였다.

"으음, 어떡할까…… 아, 그래. 궁금한 게 있어."

길버트가 소피아를 봤다.

"정령과 계약하면 훈련 방법도 바꿔?"

"─바꾸지 않아요."

레핀이 소피아 옆에 나타나 대답했다.

"본질적으로는 자신의 마력이니, 오히려 정령이 맞추는 식입니다."

"와, 그렇구나."

"다만, 제대로 다룰 수 있는지는 계약자에 따르죠."

"아, 역시 그런가……."

길버트가 머리에 손을 대고 한숨을 내쉬었다.

"정령과 계약해도 바로 강해지지는 않는다는 거구나."

"그렇습니다. 열심히 하세요."

"알았어……. 아, 하나만 더. 실프들이 그렇게 정중했나? 지인

중에 계약한 녀석이 있는데 그 정령은 굉장히 스스럼없었어."

"……계약자가 그렇게 해달라고 요구하지 않았을까요?"

거처에 있던 실프들은 보통 말투가 정중했는데, 계약하고부터는 함께 행동하는 계약자의 영향을 받는 모양이었다.

"아, 그렇구나. 너는 말투 안 바꿔?"

"필요 없습니다."

"나는 친목을 돈독히 하는 의미로라도 바꾸는 게 낫지 않을까 싶은데."

유노가 가세하자 레핀이 난감한 표정을 지었다.

게임에서 실프는 예외 없이 친절하고 공손했다. 선천적으로 그런 건지 신경이 안 쓰인다면 거짓말이었다. 신령이 사는 숲에 숨어들 정도니 그에 맞는 성격이라는 건 알겠지만 말이다.

"아뇨, 하지만—"

"저는 상관없습니다만."

소피아가 끼어들었다. 그 결과, 레핀이 입을 다물었다.

계약자 본인이 허락했으니 만약 지금 말투가 답답하면 바꾸려나?

유노와 길버트, 그리고 소피아까지 레핀을 주목했다. 어떻게 할까—.

"……아무튼, 정령과 계약해도 훈련 방법은 바꿀 필요 없습니다."

아, 원래 하던 이야기로 돌아왔다. 유노와 길버트가 아쉬운 표정을 지었다.

레핀은 얼버무리듯이 허공을 맴돌았다.

"영봉이 보이네요."

그리고 그녀의 말대로— 진행 방향에서 대각선으로 왼쪽 앞에 정상이 하얀 높은 산이 보였다.

"스라테드산이야."

길버트가 산을 보며 말했다.

"저 산이 보인다는 건 발크스 왕국 국경 부근에 왔다는 거로군."

"—마족과 마주치지 않고 여기까지 왔네."

나는 산을 보며 두 사람에게 말했다.

"정보에 의하면 마족들도 발크스 왕국 수도를 제압하고부터 두드러진 움직임을 보이지 않는다고 해. 지배가 목적이라면 괜히 반항하지 않으면 괜찮을지도 몰라."

"하지만 본보기로 마을 한두 개는 공격할 테고, 실제로 하고 있지."

길버트가 말했다. 소피아가 두 주먹을 불끈 쥐었다. 그런 두 사람을 눈에 담으며 나는 말을 이었다.

"그래. 하지만 맞서려 해도 힘이 부족해. 강해져야 해."

"대항수단 중 하나가 정령과의 계약이군."

"맞아. 국경을 넘으면 사정이 다를 수도 있으니 모두 긴장해."

내 말에 모두가 고개를 끄덕였다.

이윽고 국경을 지나— 대륙 중앙부에 있는 로베일 왕국으로 들어갔다.

우리는 첫 마을에서 정보를 수집했다. 마족이 침공하긴 했지만 북쪽에서 막혔다는 것. 쫓겨난 마물들은 국경 부근까지 퇴각했고, 대치 중이라고 했다. 다른 나라에 비해 습격 타이밍이 늦어서 준비할 수 있었다는 것 등이 승리 요인이라고 마을 사람이 말했다.

마물을 막을 정도의 전력은 보유한 모양이나 다른 나라에 원군을 보낼 여력은 없나 보군. 그리고 이 나라에는 마왕에게 지령을 받은 5대 마족의 거점 중 하나가 있었다. 아직 인간 족은 파악하지 못한 것 같은데…… 만약 왕국이 군을 일으킨다면 5대 마족과 싸우는 것을 의미했다.

그때까지 아티팩트를 입수하고 싶었다. ─그렇게 마음속으로 생각하며 스라테드산 근처 역참 마을에 도착했다.

"이야~ 장관인데!"

길버트가 산을 올려다보며 말했다. 지금은 저녁 시간. 석양빛을 받는 산은 아름다웠다. 소피아도 넋을 잃을 정도였다.

두 사람이 그러는 것도 무리가 아니었다. 가까이 있는 영봉은 웅대했고, 보고 있으면 대자연의 굉장함이 새삼스레 느껴졌다.

"그러고 보니 루온 씨."

길버트가 산에서 시선을 떼고 말을 걸었다.

"이곳에 신령님이 있다지?"

"응."

"일단 신령님도 정령이잖아……. 장기 때문에 약해졌을까?"

"글쎄. 직접 물어보지 않으면 모르지."

"그런 턱없는 소리를……. 로베일 왕국은 같이 싸워달라고 요청 안 했나? 정보에 의하면 왕국군만으로 침공을 막은 것 같은데."

"전력으로 간절할 테니 같이 싸워달라고 교섭했을지도 모르겠네. 하지만 침묵하는 걸 보면 실패했거나…… 마족과 인간의 전쟁에 간섭하지 않겠다는 거겠지."

"아군이 되면 든든할 텐데."

길버트가 대화를 마무리하고 여관을 찾기 위해 걷기 시작했다.

한편, 소피아는 여전히 산을 보고 있었다. 그렇게 충격적이었나?

"소피아, 여관을 잡아야 해."

내 부름에 소피아가 깜짝 놀랐다.

"아, 죄송합니다."

"계속 볼만도 해. 가자."

"네. ……저, 저기, 루온 님."

"응?"

"저는, 조금씩이나마 강해지고 있는 거겠죠?"

"……불안해졌어?"

내가 지적하자 소피아가 목을 움츠렸다.

"루온 님의 지도를 의심하지는 않습니다. 그, 저 자신에게 소질이 있는지 불안해서…… 유적 때도 결국, 레핀의 힘에 기댄 결과였고요."

뚜렷한 성과를 얻지 못했으니 소피아가 이런 말을 하는 것도 당연한가. 더구나 목표는 나라를 멸망시킨 마족을 무찌르는 것……. 상당한 힘을 얻어야 하니 초조해했다.

"내가 보장할게."

내 말에 소피아가 알 수 없는 표정을 지었다.

"수행 중에 유노도 말했잖아? 지루해도 이런 부분에서 실력 차이가 생긴다고. 지금 하는 일은 필요한 일이고, 강해지기 위해 거쳐야 하는 단계이기도 해."

"……네."

저녁노을에 비친 소피아의 얼굴— 익숙해진 나도 무척 아름답다고 생각하게 되는 수심에 잠긴 표정…….

"마력량은 바로 해결할 수 없어. 그러니까 착실하게 한 걸음, 한 걸음 나아가야 해. 결과로 나타나는 건, 좀 더 나중 일이야. 지금은 견뎌야 해."

"네. ……알겠습니다."

소피아는 스스로에게 말하듯이 대답했다. 나는 그런 태도를 보고 말을 덧붙였다.

"전투에는 정신상태도 상당한 영향을 줘. 너무 골몰하지 마."

"그렇, 겠죠."

"식사하며 잡담만 나눠도 기분전환이 돼. 늘 긴장하면 몸이 못 버텨. 강약을 주는 것도 중요해."

"알겠습니다."

소피아가 한없이 진지하게 대답했다. ……어서 강해지고 싶다는 마음이 느껴졌다. 정말로 자신이 할 수 있을까, 불안이 휘몰아치는 듯했다.

현자의 핏줄로 성장능력이 오른 상태인 지금의 소피아라면 머지않아 마력도 늘 것이다. 노움과의 계약도 플러스가 될 테고. 자신감을 붙이기 위해 마물 토벌이라도 해야 하나…….

그럼…… 간섭하고 싶은 비극적인 이벤트를 이용해야 하나? 타이밍을 보면 노움과 계약한 다음이 될 것 같고…….

"뭐, 상황에 따라 움직이자."

결론은 일단 보류하고 여관을 찾았다. 처음 들른 여관에서 방을 빌리고 성별을 나눠 방으로 들어갔다.

길버트가 기지개를 켜고 크게 숨을 내쉬었다.

"으아아~, 오늘도 지쳤다."

"……그쪽은 그냥 걷기만 했잖아?"

태클을 거니 그가 쓴웃음을 지었다.

실력이 둔해지지 않도록 검을 휘두르는 정도는 했지만, 결국 그는 마력량을 늘리는 단련은 하지 않았다. ……정식으로 동료가 된 것도 아니라 나와는 아무 상관 없지만.

"그런데 루온 씨."

그때, 길버트의 말투가 진지해졌다.

"왜? 갑자기 정색을 다 하고."

"소피아 씨와의 관계 말인데, 정말로 종자인 거지?"

―여태까지 깊이 추궁하지 않았는데, 드디어 이날이 왔나.

"응, 맞아. 설명했잖아? 의뢰 때문에 마물에게서 소피아를 구하고 같이 움직이고 있다고."

"아니, 탐색하려는 건 아닌데…… 확인해두고 싶어서."

"오, 길도 그게 신경 쓰였어?"

"야, 유노. 너 소피아 방으로 간 거 아니었어?"

길버트의 옆에 유노가 있는 것을 보고 소리를 높였다. 어느 틈에 의기투합한 거야…….

"에이, 뭐~. 소피아 씨가 한 미모 하잖아. 루온 씨를 주인으로 내세우고 한 걸음 물러나 있으면 눈에 띄지 않을 줄 알았지? 즉, 종자라는 처지는 어디까지나 눈속임이라는 거지."

그의 지적은 정확했다.

"그렇다면 지금은 사제 관계……라고 표현하는 게 맞는 것 같아."

"실제로 그게 정답이야."

"그래서 루온 씨에게 그 이상의 감정이 있나, 해서."

길버트가 싱글거리며 말했다. 유노가 웃으며 대화를 듣는 것도 있고, 조금 화가 나는데…….

"……나도 소피아도 여러모로 사정이 있어."

나는 한숨을 흘리며 말했다.

"연애감정 같은 건 마왕 일도 있고 생각도 못 하는 실정이야."

"그게 없으면 어떤데?"

"글쎄……."

모호한 대답. 납득하지 않을 줄 알았지만, 길버트는 더 이상 언급하지 않았다.

"그래……. 혹시 내가 도울 거 있으면 말해줘."

"다정한데?"

"이거 보게? 놀리려고 한 말인 줄 알았어? 나는 한 의리 한다고."

순간 의심했는데…… 찬찬히 생각해보니 내가 게임 때문에 선입견을 품었나보다. 가벼운 성격이라는 인상이 강했는데, 사실은 남을 잘 돌봐주는 사람이었나?

"고마워……. 하지만 지금은 필요하지 않아."

"그래. 뭐, 상담 정도는 해줄게."

"고마워."

그럼 저녁 먹자— 고 말하려는데, 이번에는 유노가 입을 열었다.

"그런데 루온."

안 좋은 예감이 들었다.

"여러모로 고생하는 소피아를 도와줘야 한다고 생각하지?"

"응, 뭐……."

"그때야말로 가까워질 기회야."

"너, 즐기고 있지?"

사정을 알면서 왜 그런 말을 해?

"어? 설마 진전 없이 끝내려고?"

"……뭘 기대하는지는 몰라도 부탁이니까 소피아의 앞에서는 가만히 있어 줘."

"유노 씨의 목적은 성공 못 할 것 같네."

길버트가 웃으며 말하자 유노가 뺨을 부풀렸다.

"루온, 약간의 로맨스는 있어도 되잖아."

"저기요……."

"아니, 거기까지는 안 가도 분위기가 그럴싸해지지 않을까 싶어서."

"예를 들면?"

길버트가 흥미진진해하며 물었다. 괜한 짓을…….

"그래, 전투의 공포에 떠는 소피아를 다정하게 끌어안고 멋진 말로 격려한다든가? 이 일로 두 사람의 사이가 더 진전해서……."

"나 먼저 간다."

어울려줄 수가 없어서 먼저 방을 나섰다. 유노의 비난하는 목소리가 들린 것 같았지만, 무시했다.

저녁 식사를 하고 내일을 대비해 침대에 누웠다. ……나는 자지 않고 누워서 밤이 깊어질 때까지 기다렸다.

길버트는 이미 잠들었고…… 때가 됐다고 판단한 나는 천천히 일어나 옆에서 자는 그에게 다가갔다.

"미안해, 길."

우선 사과하고 수면 마법을 썼다. 이제 아침까지 깨지 않을 것이다.

그 후 창문을 열었다. 이 방은 2층이고 아래는 술집이다. 귀를 기울이니 술 취한 사람의 대화 소리가 들렸다. 기척을 죽이는 마법을 써도 여관 입구를 열어야 하니 아마 들키리라. 내가 움직이는 것을 알리고 싶지 않으니 창문으로 나가기로 했다.

그때, 옆방 창문이 살짝 열리고 그 사이로 유노가 등장했다.

"얍~! 루온, 소피아는 푹 자고 있으니까 걱정하지 마. 무슨 일 있으면 레핀이 처리해주겠대."

그렇구나. 안심했다.

"그럼 가자. ……신령의 성역으로."

"응~."

유노가 주머니 안으로 들어온 후 나는 2층에서 뛰어내렸다. 되도록 소리를 내지 않고 착지해 주위를 확인— 아무도 없었다.

그대로 마을을 나와 이동마법을 사용해 단번에 숲으로 향했다.

"루온, 신령 가르크는 어떻게 생겼을까?"

"어떻게, 라……. 신랑(神狼)이니까 늑대 아닐까?"

"다른 신령은?"

"불사조 페우스는 상상하기 쉽지만, 아즈아는 모르겠네. 게임에서도 못 봤어."

"흐음…… 이번에는 완전히 어림짐작으로 찾아야 한다는 거구나."

"그렇지."

그렇게 유노와 이야기하는 사이, 신령의 영역인 숲에 도착했다. 그 앞까지 길이 있다는 게 좀 신기했다.

"성역 코앞에 길이 있네……. 신령이 화내지 않나?"

"대화를 했겠지."

유노가 대충 말했다. 나는 그런 게 가능하냐고 고개를 갸웃거리며 숲을 관찰했다.

"역시 마물이 있군."

"원래 이 숲에 있던 마물이지?"

"응. 이곳에 마왕의 부하는 없겠지. 신령의 마력을 받은 존재로, 동물이 마물화한다는 이야기를 루온이 어릴 적에 들은 적 있으니, 있다면 그런 마물일 거야. 나는 싸울 뜻이 없다는 걸 보여야 하니까 마법으로 무기는 만들지 말자."

"혹시 공격하면 어떡해?"

유노의 물음에 나는 잠깐 생각했다.

"이동마법으로 도망쳐야지. 아무튼 원만하게 가자. 아티팩트 교섭이 가능할지는…… 싸울 생각이 없다는 걸 알면 대응은 해줄 거야. 일단은 거기서부터 시작하자."

"대화할 수 있으면 좋을 텐데……."

유노가 숲을 보며 말했다.

"문답무용으로 공격하면 어떡해?"

"아무리 그래도 그러지는 않길 바라야지. 하지만 만약 그렇게 되면……."

"그렇게 되면?"

"아티팩트는 되도록 빨리 갖고 싶어. 그 점을 고려하면 응할 수밖에 없겠지."

"좋은데?"

작은 천사가 화사한 미소를 얼굴에 비쳤다. 나는 어깨를 툭 떨궜다.

"왜 기뻐해, 너……."

"신령을 쓰러뜨리고 지배하면 멋있잖아. 뭔가, 이 대륙의 어둠의 지배자 같고."

"……신령을 어떻게 할 수 있을 거라고 생각해?"

"어떤 적도 순식간에 죽이는 루온이라면 어떻게 할 수 있겠지."

유노가 낙관적으로 주장했다. 하지만 그럴 경우, 다른 의미로 문제였다.

"유노, 아까 말했잖아. 쓰러뜨리면 큰일이라고."

"그건 루온이 힘을 조정해야지. 내 지도를 받았으니 할 수 있잖아."

"쉽게 말하지 마. ……됐어. 일단 가자."

대화를 마무리하고 빛을 만들어 숲으로 들어갔다. 사락사락 풀숲을 헤치는 소리만이 들렸고…… 나는 이 숲이 다른 곳과 다르다는 것을 깨달았다.

예를 들면 이 세계에도 부엉이 같은 새가 있고 밤이 되면 울음소리가 들렸다. 수행 시절, 빌린 집에서 자며 여러 번 들었고 벌레 울음소리도 들렸다.

하지만 이 숲에는 그런 게 없었다. 내가 내는 소리만 들려서 시험 삼아 멈추니 팽팽한 정적이 내려앉았다.

"기분 나빠."

유노도 깨달은 것 같았다.

"마물의 시선이 느껴지는데?"

"……그러게."

유노의 말대로 숲에 들어오고부터 누군가가 보고 있었다. 그것도 한둘이 아니었다. 우리를 감시하듯이…… 다만, 살의는 느껴지지 않았다.

"숲에 들어온 인간에게 흥미를 느꼈나?"

"그럴지도 모르겠는데…… 공격하지는 않으려나 봐. 신령이 공연히 공격하지 말라고 지시했나?"

아무튼 평온해서 다행이었다. 가슴을 쓸어내리고 다시 이동하려는데—

"……응?"

발을 멈췄다. 진행 방향에서 주변보다 강한 시선이 느껴졌기 때문이었다.

"유노, 알겠어?"

"응, 뚜렷하게 느껴져. 거리가 있는데 우리가 알아차릴 정도니까 평범한 마물이 아닌 건 분명해."

설마, 신령이……? 주변 마물처럼 살기가 느껴지지 않았다.

"적의가 느껴지지 않아서 다행이야. 자, 어떡할까?"

"여기까지 왔으니 각오를 다져야지."

"……유노, 싸우는 걸 전제로 말하고 있지 않아?"

유노가 얼버무리듯이 휘파람을 불었다. 이 녀석…….

"하아, 됐어. 상대가 신령이라 아티팩트를 몰래 가져가지는 못할 테니까, 이런 상황이 되는 건 기정노선이었어. 가는 수밖에."

"힘내, 루온."

"……만약을 위해 주머니에 들어가 있어."

발걸음이 무거워졌지만, 앞으로 나아갔다. 여전히 내가 내는 소리만 들렸고…… 이내 숲을 빠져나왔다.

빛이 비추는 범위에서 확인할 수 있는 것은 나무로 둘러싸인 평지라는 것, 그리고 안쪽에 영봉으로 이어지는 험난한 길이 있었다.

시선의 주인은 이곳에 없었다. 그러나 다가오는 것이 또렷하게 느껴졌다.

"기다리는 게 좋겠어."

문득 주위를 둘러봤다. 마물들의 기척은 여전했지만, 접근하지는 않았다.

"나를 놓치지 않으려고 감시하나?"

"그 해석이 가장 근접할지도?"

유노가 동의했을 때, 안쪽의 험한 길에 빛이 보였다.

"루온, 저건……."

유노의 중얼거림에 나는 아무 말 하지 않고 고개를 끄덕였다.

그것은 멀리서도 알 수 있을 만큼 강한 마력을 내뿜었다. 점점 가까워졌고―.

『―이곳에 인간이 오다니, 별일이군.』

굵직하고 용맹한 분위기가 감도는 목소리가 들렸다.

높이는 주변에 있는 나무에 닿을 정도였다. 무엇보다 특징적인 것은 하얀 털로, 숲속을 돌아다니면 지저분해질 텐데 티끌 한 점 없었다.

그리고 나를 꿰뚫어 보는 검은 눈이 이지적이어서 지성이 있다는 걸 알았다.

아름답고 고귀한 짐승…… 그런 표현이 무척 잘 어울렸다.

『여기까지 왔으니 나름의 각오는 했겠지?』

짐승은 입을 움직이지 않고 말했다. 멍하니 있느라 바로 대답하지 못했지만, 이내 정신을 차리고 되물었다.

"……당신이, 신령 가르크?"

『인간들 사이에서는 그렇게 불리더군. ……내가 바로 가르크라 불리는 존재다.』

신령이 살짝 눈을 가늘게 떴다.

『그리고 이 마력…… 천사인가?』

유노도 알아차렸다. 그의 지적에 유노가 주머니에서 나왔다.

"처음 뵙겠습니다. 신령님."

『이 대륙에 아직 그대 같은 존재가 있다니…… 됐다. 인간, 이 숲이 어떤 곳인지 모르는 건 아닐 테지? 왜 내 집에 발을 들였나?』

　아주 조금, 시선에 위압이 섞였다. 지금이 원만하게 끝낼 수 있을지의 승부처였다.

　"……먼저 질문 하나 드리겠습니다. 최근에 천사가 남긴 유적에서 아티팩트를 가져갔습니까?"

　『호오, 유적에 발을 들인 인간인가. 그 물음은 틀리지 않았다. 나는 산 주변에 있는 유적에서 아티팩트를 가져왔다.』

　"그럼…… 염치없는 부탁입니다만, 그 아티팩트를 양보해주실 수 없겠습니까?"

　『무어라?』

　"물론 그냥 달라는 건 아닙니다. 신령님이 원하는 물건…… 그것을 대가로 드리겠습니다."

　게임에 있는 아이템이라면 수행 시절에 많이 얻었다. 고가의 소재도 있고 요구 내용에 따라 교섭도—.

　『인간이, 내가 원하는 물건을 제공할 수 있다고?』

　"……무엇이든 가능하지는 않지만, 반드시 대가를 드리겠습니다."

　신령은 대답하지 않고 나를 응시했다. 뭔가— 마치 정체 모를 존재의 정체를 파악하려는 분위기…….

　교섭의 여지가 있는지 모르겠다. 다만, 싸울 의지가 없는 것은 인식했을 터. 이제부터 어떻게든 이야기를 끌어갈 수만 있으면—.

　『목적은, 그뿐인가?』

그런 신령의 물음에 바로 고개를 끄덕였으나 의심하는 눈빛
은 변하지 않았다.

『……나는 거짓말을 싫어한다.』

그리고 무거운 목소리로 서두를 뗐다.

『이 숲에서 무언가를 이룰 셈이라면 당장 돌아가라.』

"아뇨, 저…… 아까 말한 게 전부—."

포효가 주변에 울려 퍼졌다. 내 말을 막고 위협하는 게 명
백했다.

나는 왜 이렇게 공격적인지 이해하지 못하고 서 있을 수밖
에 없었다.

"……있잖아."

갑자기 유노가 입을 열었다.

"우리, 어쩌면 최악의 행동을 한 거 아닐까?"

"최, 최악? 무슨 말이야?"

"그러니까—."

『인간은 욕심 많은 종족이며 그를 위해서라면 수단을 가리지
않는다는 걸 안다. 하지만 너처럼 무모한 인간은 오랜만이다.』

노기를 부풀린 가르크의 말에 나는 표정이 굳었다.

『네가 가진 이상하기까지 한 거대한 힘. 숨기려 한 모양이나
내 눈은 속일 수 없다.』

그 말을 듣고 어떤 상황인지 이해했다.

신령 가르크는 내가 지닌 힘을 알았다. 숲 속을 지날 때 알
았으리라. 과연 신령이라고 해야 하나.

그래서 가르크는 내가 내 능력을 설명하지 않자, 그것을 숨기고 적당한 이유를 붙여 거처인 숲과 산을 털러 왔다고 생각한 것이다.

"힘에 대해 아무 말 하지 않아서 속이려는 줄 알았나 봐……."

유노가 어처구니없다는 듯이 말하고 놀라운 속도로 내 주머니에 숨어들었다.

"싸울 수밖에 없어 보이네, 이거."

"자, 잠깐만. 아무리 그래도—."

한 가닥의 희망을 걸고 가르크에게 말을 걸기 위해 입을 열었다. 하지만—.

『네가 무엇을 노리는지는 모르나…… 그것을 저지해주마.』

신령 가르크에게서 살기가 넘쳤다. 그러고 보니 상대가 내 설명을 듣지 않고 전투에 돌입하는 장면은 게임이나 만화에도 종종 있었지. 설마 전생해서 내가 같은 꼴을 당할 줄은 상상도 못 했다.

어떡하면 좋지……. 고민하고 있자니 가르크의 기척이 한층 진해졌다. 전투 준비가 끝난 것 같았다.

『간다.』

호전적인 말과 함께 가르크가 마력을 끌어올렸다. 나는 하소연하고 싶은 기분에 숨을 토했다. —신령을 상대하게 돼버렸다.

생각지도 못한 사태에 진심으로 동요했지만— 어찌어찌 사고를 전투 모드로 바꿨다. 이렇게 되면 일단 가르크를 막아야 했다.

"루온, 분석부터 하자."

유노가 조언했다. 마음속으로 동의하고 생각했다.

신령 가르크는 게임에 등장하지 않아서 스테이터스 등은 불명이다. 분명 공략본 인터뷰 기사에 원래는 설정이 있었는데 최종적으로 없던 게 됐다고 적혀 있었다.

무슨 일이 있어도 죽여서는 안 되기 때문에 힘을 조절해야 하는데…… 그때, 유노가 또 지적했다.

"약점이 있을까?"

아니, 만약 약점을 공격해 쓰러뜨리면 엄청난 일이…… 잠깐만.

무언가를 떠올린 순간, 가르크가 울부짖었고 거대한 입속이 빛나기 시작했다.

입에서 빛의 탄환을 쏘려는 건가— 그 마력을 느낀 순간, 나는 반사적으로 몸 깊은 곳에서 마력을 끌어올렸다. 이어서 오른손을 가르크에게 향하고 빛 속성 하급 마법인 『홀리 샷』을 썼다.

동시에 가르크도 빛을 쐈고…… 두 빛의 탄환이 중간 지점에서 격돌했다.

그러자 쿠웅— 하고 충격파가 생기며 상쇄됐다.

『호오, 고작 하급 마법인데 제법이군.』

가르크가 평가했다. 나는 다시 마법을 쓸 준비에 들어갔다.

아까 떠오른 계획을 쓸 수 있을지 확인해야 했다.

다음 마법도 『홀리 샷』— 가르크는 빛과 땅 속성을 관장하니 빛 마법으로 공격해도 죽을 일은 없을 거라 판단했다.

『아까와 같은 마법인가.』

가르크는 담담히 대답하고 피하는 척도 하지 않았다. ……마법은 가르크에게 닿기 전에 벽 같은 것에 부딪히고 사라졌다.

마력 장벽— 나처럼 몸 표면에 만드는 방법과 다르잖아? 어쨌든 가르크를 공격하려면 저것을 격파해야 했다.

『흠…… 어리석군.』

가르크가 비웃으며 말하고 오른쪽 앞발을 들어올렸다. 발끝에 있는 발톱으로 공격하기에는 거리가 있었다. 무슨 생각일까…….

오른쪽 앞발이 바닥을 쳤다. 그 순간, 다리에 희미한 진동과 짙은 마력이 느껴졌다.

"루온!"

유노가 외친 순간, 나는 신령의 공격을 피할 수 없음을 직감했다. 그렇다면……! 마력을 끌어올려 나 자신을 보호하는 마력 장벽 강도를 높였다.

바닥에서 빛이 났다. 내 주위에 검처럼 날카로운 것들이 무수히 생겨나 내게로 다가왔다. 전방위 공격—.

빛에 둘러싸이고 충격이 몸을 덮쳤다.

『과연, 방어력도 제법이군.』

가르크의 말과 함께 빛이 사라졌다. 나는 다치지 않았고 장벽도 파괴되지 않았다.

다만 가르크도 진심으로 공격한 게 아니었다. ……하려고 하면 얼마나 버틸지 시험해볼 수도 있으나 아무리 그래도 그건 양해해줬으면 좋겠다.

『다음은 어쩔 테냐?』

신령은 내가 어떻게 나올지 살폈다. 나는 지금까지 입수한 정보를 떠올렸다.

아까 가르크는 마법 공격에 어리석다고 했다. 아마 그것은 「그 정도 마법은 통하지 않는다」는 뜻이거나 「빛 속성은 통하지 않는다」는 뜻이었으리라.

특히 중요한 것은 빛 속성이 통하지 않는다는 점— 신령을 죽이지 않고 전의를 잃게 하려면 이 점이 돌파구가 될 것 같았다.

하지만 노린 대로 될지, 아직 검증해야 하는 게 있었다. 우선은…… 마력을 왼팔에 모았다.

『음?』

가르크가 경계하며 아까처럼 공격하지 않았다.

자, 어떻게 될까……. 지금 쓰려는 것은 빛 속성 중급 마법 『홀리 랜스』. 그 이름 그대로 빛의 창을 적에게 쏘는 마법이었다.

왼손을 뻗었다.

"마(魔)를 꿰뚫어라— 천공의 성창(聖槍)!"

바다처럼 짙푸른 『홀리 랜스』가 신령을 공격했다. 그러나 그것으로 끝나지 않았다. 나는 힘차게 땅을 박차고 신령에게 접근하며 이번에는 오른손에 마력을 모았다.

『그 힘, 역시 인간의 몸에 어울리지 않는군.』

창이 직격했다. 튕기는 듯한 소리가 숲에 울리고 장벽이 흔들렸다. 하지만 부서지지는 않았다.

『강력하지만, 내 장벽은 부수지 못한다.』

가르크가 단언하자 나는 거리를 좁혔다. 그리고 발동한 마법은— 가장 자신 있는 마법인 『뒤랑달』이었다.

빛의 검이 장벽으로 날아갔다. 일격이 들어가니 파직, 하고 장벽에 크게 금이 갔다.

『호오? 예상 밖의 위력이군.』

그토록 대단한 가르크도 눈썹을 찌푸렸고 장벽에 쏟는 마력이 진해졌다. —그러나 나는 상관하지 않고 공격했다. 그리고 확실한 반응을 느꼈다.

반격당하기 전에 부순다. —그 순간, 유리가 부서지는 소리와 함께 장벽을 파괴했다!

『아니?!』

가르크는 경악했다. 설마 강행할 줄은 몰랐던 모양이다. 그리고 나는 동요해서 틈이 생긴 신령에게 빛의 검을 휘둘렀다.

검이 몸에 닿은 순간, 반사적으로 위력을 줄여 죽지 않도록 조절했다. ……하지만 그래도 가르크의 몸이 충격 때문에 살짝 젖혀졌다.

"그라췌~!"

유노의 목소리— 무슨 뜻인지 신경 쓰였지만, 나는 무시하고 일단 물러났다.

가르크는…… 빛의 검이 몸에 제대로 박혔지만, 역시 땅과 빛을 관장하는 정령답게 상처 하나 없었다.

『나를 상처 입힐 좋은 기회였으나…… 안 됐구나, 통하지 않는다.』

가르크의 말대로 아무래도 빛 속성 마법은 무효화되는 것 같았다.

마물에 따라서는 속성 마법에 내성이 있었다. 한 마디로 내성에는 반감, 무효화, 흡수가 있는데…… 이번에는 무효화였다. 만약 이게 게임이라면 가르크에게 빛 마법을 사용해도 피해가 없었다.

나는 수행 시절에 했던 실험을 떠올렸다. 게임과 비교했을 때 내성에 차이가 있는지 확인하려고 여러모로 시험해봤는데…… 게임에서 무효화 특성을 가졌던 마물은 상급 마법도 전부 무효화시켰다. 예외가 없어서 신령도 그러리라 생각했다.

그리고 장벽은 파괴됐다. 이것도 중요했다. 가르크 본체에는 빛 속성 마법이 통하지 않는다. 하지만 장벽은 파괴할 수 있었다. 마물에 따라 장벽에도 무효화 능력이 있는데 가르크는 그렇지 않았다. 그리고 내 힘이라면 장벽을 파괴하는 게 가능했다.

또 하나, 공격에 몸을 젖혔다. 피해는 없어도 충격은 막지 못했다.

여기까지 검증하면 충분했다. 어떡할지 계획을 세워 움직이려 한 그때—.

『장벽을 파괴했군……. 단번에 결판낼 때인가.』

가르크가 더 농밀한, 숲이 술렁일 정도의 마력을 내뿜었다. 지금까지는 경계와 상황 살피기가 반인 느낌이었는데 드디어 진지해진 모양이었다.

온다— 그렇게 이해한 직후, 나는 오른팔에 마력을 모았다. 그에 가르크가 반응했다.

『또 빛이군. 어리석은 건가, 아니면—.』

신령은 내 의도를 알아내려고 시선을 보냈으나— 나는 말없이 마법을 준비했고 다음 순간, 주변에 수많은 빛의 검이 나타났다.

빛의 검이 내 앞에 모여 거대한 창으로 변했다. 빛이 주위를 밝히며 어둠을 물들여 없앴다.

내가 사용한 것은 빛 속성 상급 마법『궁그닐』. 수행을 마무리하며 싸운 마인을 일격에 박살낸 신의 창. 과연 신령의 본 실력에 어디까지 대항할 수 있을까.

『빛이어도 강력한 마법임에는 분명하군……. 나도 상응하는 힘을 내지.』

내 마법에 호응하듯이 가르크가 정면에 마력을 모았다. 겉보기에는 아까 입으로 쏜 빛의 탄환 같았으나, 크기가 차원이 달랐다. 배 이상으로 컸고, 내 빛과 경쟁하듯이 땅거미를 하얗게 물들였다.

순간, 기묘한 침묵이 생겼다. 아까 내게 적의를 보였던 주변 마물들이 분주해졌다. 휘말리지 않도록 도망치기 시작했나 보다.

그 와중에 나와 가르크는 말없이 대치했고, 유노도 주머니 속에서 마른침을 삼키며 지켜봤다. 이윽고 가르크가 울부짖 었고, 나는 마법을 쓸 자세를 잡았다.

순간, 빛의 탄환과 신의 창— 두 마법이 발사됨과 동시에 부딪혔고 섬광과 굉음이 숲속을 메웠다. 빛의 격류 속에서 나 는 다음 공격 준비에 들어갔다.

낙뢰라도 떨어진 것처럼 성대한 소리가 밤하늘에 울려 퍼졌 다. 흰 빛이 튀며 주변에 퍼졌고 시야가 가로막혔으며 여파가 주변 땅을 도려냈다.

나는 빛을 뒤집어쓴 채 기척을 찾았다. 어떻게 됐지…….
『궁그닐』은 빛의 탄환과 부딪쳐 상쇄— 아니, 조금이나마 내 마법이 우세해 장벽을 파괴했다!

"이겼네, 이번 거는."

『네 놈—!』

유노와 가르크가 거의 동시에 반응했다. 나는 어디에도 대 답하지 않고 거센 빛과 마력 속에서 마력을 더 끌어올렸다.

몸을 때리는 듯한 잔향(殘響)을 들으며— 시간으로 따지면 1분 정도일까, 드디어 빛이 사라지고 상처 하나 없는 가르크 가 눈에 들어왔다.

그러나 그 얼굴은 험악했다.

『내 힘을 초월하다니—.』

가르크는 말이 멈췄다. 내가 발동한 새로운 마법이 원인이었다.

"이건 어때?"

나는 물었다. 현재 구축하는 것은 지금까지와 같은 빛 속성 마법. 가르크에게는 일절 통하지 않지만…… 나는 이걸로 끝이라고 확신했다.

빛 속성 최상급 마법『라그나뢰크』. 마법 사용자인 내 머리에서 몇 미터 위의 공간이 일그러지고, 그곳에서 거대한 검을 만들어 적을 공격하는 마법이다.

검은 은백색으로 빛나며 검날 부분에 금색 문자로 복잡한 문양이 그려져 있었다. 마력을 결집해 신의 창을 날리는『궁그닐』보다 훨씬 거대한 마력을 품고, 대치하는 자를 공포에 떨게 하는 엄청난 분위기가 주위에 퍼졌다.

그것은 빛과 땅 속성을 관장하는 가르크도 예외가 아니었다.

『그 마법은—!』

가르크는 놀라워했다. 어떻게 그 마법을 습득했는가, 어떻게 그 마법을 쓰는가, 다양한 의미로 해석되나…… 나는 문답 무용으로 단죄의 검을 내리쳤다.

검이 무시무시한 속도로 신령에게 날아갔다. 아무리 빛 속성을 무효화시켜도 마법을 생성한 마력이 가르크에게도 규격 외였는지 전력으로 방어했다.

『크아아아아아아아!』

가르크가 포효했다. 내 전력에 가르크도 온 몸과 마음으로 대항했다.

그러나 길게 이어지지 않았다. 아까 빛의 검으로 부쉈을 때보다 더 성대하게 장벽 부서지는 소리가 하늘 높이 울렸고—최강의 마법이 가르크의 몸에 직격하며 빛이 튀었다.

귀가 거부할 듯한 굉음이 작열하고 하얀 빛이 나를 감쌌다. 나무가 삐걱거리고 부러지는 소리도 들렸다. 가르크가 날아가 나무에 부딪히는 소리일지도 모르겠다.

……도가 지나쳤나?

"뭐, 이 정도 하지 않으면 계속 날을 세울 테니까."

유노의 말했다. 나를 응원한 모양이지만…… 나는 쓴웃음으로 대답했다.

이내 빛이 사라졌다. 주변 상황이 변했다. 『라그나뢰크』가 떨어진 땅은 충격파로 크게 패여 거대한 공동이라고 부를 만한 게 됐다.

주변에 있던 나무들도 많이 부러졌다. 마물들은 도망쳤는지 숲에서 느껴지던 기척이 사라졌다.

가르크가 있던 곳에 버틴 흔적이 있었다. 당사자인 신령은 떠밀려 날아가 숲의 나무를 쓰러뜨리고 배를 보이며 쓰러져 있었다.

"다치진 않은 모양이네—."

유노가 태평하게 말했다. 나는 마음 깊이 안도했다.

직접적인 피해는 없어도 충격은 죽이지 못했다. 그래서 이런 결말이 났다.

"······결판이 났다."

나는 가르크에게 다가가며 선언했다.

"조금 전의 공격······ 빛 마법이 아니라 어둠 마법이었으면 아무리 당신이어도 무사하지 못했겠지? 나는 지금도 당신에게 마법을 쓸 수 있지만, 그럴 생각은 없어."

무효화되는 빛 마법이라면 가르크가 죽지 않으니 나도 전력으로 대응할 수 있었다. 본 실력을 내서 전의를 상실하게 하고 교섭으로 끌고 간다······. 이것이 작전이었다.

솔직히 이렇게까지 압도해서 깜짝 놀랐는데······ 조금도 내색하지 않고 말을 기다렸다.

『무얼······ 바라나.』

이윽고 가르크가 태세를 가다듬고 물었다. 나는 어깨를 으쓱했다.

"이야기를 들어줘."

『이야기?』

"아까도 말했지만, 나는 교섭하러 왔어. 당신이 천사의 유적에서 가져간 아티팩트에 대해서."

"사정도 설명해야 하고."

유노가 말했다. 그래, 상대가 대륙 최고의 정령이니 깔끔하게 이야기할까.

"일단 날을 세우지 말아줘."

그렇게 말하고 나는 가르크의 앞에 앉아 이야기를 시작했다.

내 출신부터 이 세계를 이야기로 파악하고 있다는 것까지―
대강 설명을 마치자 내게 적의가 없다는 것을 깨달았는지 드
디어 가르크가 납득했다.

『흠, 잘 알았다. 공격해서 미안했다.』

"믿어주는 거야?"

『그대에게 특이한 사정이 있다는 것은 한눈에 알았다. 내게
는 놀라운 내용이지만, 거짓말이 아니라고 판단했다.』

　레핀처럼 마력으로 뭔가 느꼈나? 아무튼 정말 다행이었다.

『다시 사과하지. 미안했다.』

"아니, 괜찮아. 다치지도 않았고."

"하지만 공격한 건 사실이니 사과 정도는 하는 게 좋지 않
을까?"

　내 오른쪽 어깨에 앉은 유노가 참견했다. 강요하는 말투라서
순간 서늘했으나 가르크는 순순히 그녀의 말을 받아들였다.

『그래, 사과의 의미로 그대가 소망한 아티팩트를 주지. 그
천사의 유적은 어디에 있었나?』

"그 말은 몇 개 더 가져갔던 거야?"

『그렇다.』

"무슨 목적으로?"

『정령에게서 마족이 천사의 유적을 찾아다닌다는 정보를 얻
었다. 아티팩트가 목적이겠지. 그래서 먼저 빼앗아 마왕의 목
적을 부서뜨려야겠다고 생각했다.』

"……줄거리에는 당신을 포함한 신령에 대해 아무런 설명이

없었는데, 사실은 꽤 움직이고 있는 거야?"

『페우스와 아즈아가 뭘 하는지는 모르지만, 나는 숲과 산이 본거지라 위기감이 있었다. 그저 마왕에게 들키지 않게 하고 있다.』

"들키지 않게?"

『이 숲에 마족이 여러 차례 정찰하러 왔었지. 경계하는 게 명백해. 내가 나설 경우, 자칫 잘못하면 마왕이 오지 않을까 싶다.』

과연…… 그런 우려가 있어서 두고 보는 척하고 있구나.

"참고로 말인데—"

확인할 필요는 없을 것 같지만…… 만약을 위해서다.

"당신은 일단 정령이지? 장기는 괜찮아?"

『나 정도의 힘이 있으면 아무리 진해도 상관없다.』

그렇겠지. 오히려 없애버릴 것 같았다.

『마왕은 신령이 이 대륙에서 가장 방해된다고 생각하는 모양이다. 직접 싸우면 큰 피해가 나올 것도 예상했어. 그래서 그대가 말했듯이 각지에 거점을 두고 대륙붕괴 마법을 사용한다는 확실한 방법으로 나온 거겠지.』

마왕의 행동방침은 게임에서 자세히 풀이되지 않아서 추측에 지나지 않지만…… 가르크의 말이 맞을지도 몰랐다.

"그래서 아티팩트 말인데……."

이야기로 돌아와 유적에 관해 설명하니 가르크가 알았다며 시선을 내렸다.

그러자 갑자기 눈앞의 바닥이 빛났다. 내가 수납함을 부르는 것 같은 소환 마법이었다.

그리고 두 물건이 나타났다. 금색 반지와 파란 리본.

『유적에 있던 것은 그 반지다. 효과는 마력의 질을 위장한다.』

나는 두 물건을 손에 들고 먼저 반지를 관찰했다. 금속제로 처음에는 장식이 없는 줄 알았는데 겉에 복잡한 문양이 새겨져 있었다. 천사들이 쓰는 문자인가?

『마력을 주입하고 그것을 이용해 다른 자의 마력을 위장하는 물건이다. 일단 마력을 넣으면 파손되지 않는 한 효과가 유지된다.』

"그럼 내 마력을 쓰면 돼?"

『그렇지.』

반지를 빤히 보고 있으니 갑자기 유노가 옆으로 왔다.

"왜?"

"……으음."

그리고 끙끙대기 시작했다. 왜 이러나 했는데…… 이내 그녀가 입을 열었다..

"뭐, 루온이라면 괜찮으려나?"

"무슨 말이야?"

"아니, 아무것도 아니야."

아티팩트에 뭐 짚이는 거라도 있나? 신경이 쓰였지만 유노가 물러나서 이야기를 계속하기로 했다.

"가르크, 이 파란 리본은?"

『그대의 힘을 숨기기 위해 이용할 물건이다.』

숨겨……? 나는 의문을 던졌다.

"당신은 내 힘이 보이지?"

『음, 제어하고 있지만, 숨겨지지 않았어.』

"내 눈으로는 판단이 안 돼."

유노가 말했다. 이대로 마족과 마주치면 위험한 모양이었다.

『그 힘, 마왕이 알면 상당히 경계하겠지. 그대가 우려하는 위기상황이 벌어질 가능성도 충분히 있다. 리본은 그런 사태를 피하기 위한 물건이다. 단, 사용하려면 상응하는 훈련이 필요하다.』

가르크가 내가 들고 있는 리본을 봤다.

『그것은 내가 인간으로 활동할 때, 힘을 제어하려고 쓴 물건이다.』

"인간으로 활동했다고?"

『옛날이야기다. 인간이 번영하기 시작했을 때, 내 영역에 간섭할지 어떨지 확인하기 위해 리본을 써서 사람으로 숨어들었지. 인간의 행동을 확인하고 거래했다. 인간 쪽이 지배 영역을 넓힐 때에는 나와 교섭한다. 인간은 대신 공물을 바친다.』

오, 그렇구나. 그래서 인간이 숲 근처에 길을 정비했군…….
유노의 대답이 정답이었을 줄이야.

『인간 중에 내 기척을 알아차릴 존재가 있을 것을 고려해 만든 물건이다. 단, 그것은 힘을 봉인하는 물건이 아니야. 애초에 내 힘은 그대의 힘처럼 도구로 봉인할 수 있는 게 아니니까.』

"어떻게 써?"

『그것을 좌우 어느 쪽이든 괜찮으니 팔에 달아.』

나는 리본을 왼팔의 애뮬릿 조금 아래쪽에 묶었다.

그러자 리본을 감은 주변에 살짝 열이 느껴졌다.

"이건……."

『느꼈나. 그 상태로 하급 마법을 강한 힘을 담아 써봐라.』

가르크의 지시대로 나는 『홀리 샷』을 바닥을 향해 쐈다. 그 과정에서 리본을 감은 왼팔 부분이 열을 띠었다.

『이어서 내 장벽을 부순 검을…….』

그 말에 따라 『뒤랑달』을 발동했다. 그러자 불타는 것까지는 아니지만, 제법 뜨거워졌다.

『평상시에도 마력이 조금씩 새어 나온다. 마법을 쓰면 더 현저해지는 걸 알 테지? 그대의 마력을 억지로 막기는 어렵지만, 리본을 써서 훈련하면 나도 알아차리지 못할 수준은 될 거다.』

나는 마법을 해제하고 리본이 뜨거워지지 않게 마력을 제어해봤다. 몸에 약간 힘이 들어갔고…… 벨트로 허리를 조이는 것처럼 답답했다.

"힘들겠는데."

유노가 리본을 감은 왼팔을 보며 말했다.

"엄청 신경 써야겠어."

"그러게…… 고생하겠어."

『주의할 점은 그대가 싸울 때로군.』

그 지적에 눈썹을 찌푸리자 가르크가 설명했다.

『나는 그대가 숲에 침입했을 때 그 힘을 알아차렸다만……
여기에는 이유가 있다. 나는 성역 내에 있는 마력과 동조해
기척 탐지능력을 향상할 수 있다. 마족이 그럴 것 같지는 않
으니 평상시라면 들킬 걱정은 없을 거다.』

말은 그렇지만, 소피아도 있었다. 절대로 발각되면 안 되는
이상, 평상시에도 들키지 않게 열심히 훈련해야겠다.

"고마워, 가르크."

『내가 지레짐작한 것에 대한 사과다. 예는 필요 없어…….
그래, 하나 확인하고 싶군.』

"뭔데?"

『마왕의 계획과 특수한 힘…… 나는 진두에 서야 하나?』

그의 물음에 나는 얼른 고개를 가로저었다.

"당신은 줄거리 마지막까지 나오지 않았어. 내가 움직여서 줄
거리와 상황이 달라졌지만, 큰 줄기는 바뀌지 않았어. 지금은
이렇게 유지하고 싶으니까 오히려 움직이지 않았으면 좋겠어."

『그런가. ……알았다, 그대를 따르지. 무슨 일이 있으면 협력
하마.』

대, 대단한데? 신령 연줄이라니…….

문득 다른 신령들을 어떻게 해야 하나 생각해봤다. 시나리
오대로 진행하면 솔선해서 갈 필요는 없는데─ 만약 벗어나
면 생각해보자.

"있지, 하나 깨달은 게 있는데—"

이번에는 유노가 내 주위를 날며 의문을 꺼냈다.

"아까 전투, 상당히 거친 마력 충돌이었는데 마족들에게 들키지 않았을까?"

『숲 전체에 마력차단 마법을 걸어 두었다. 조금 전의 격돌은 가공할 마력이었지만, 괜찮다.』

아, 다행이다.

『그 점은 걱정하지 마라. 그럼 내가 제공한 것을 활용하며 힘내라. 언제든 상담해주지.』

"알았어. ……그럼 우리는 가볼게."

『음, 무운을 빈다.』

짧은 말을 나누고 나는 가르크에게 등을 보이고 앞으로 나아갔다. ―과정은 터무니없었지만, 최종적으로 아티팩트도 손에 넣었고 성과로 치면 최고였다.

"이야~, 마무리 마법은 압권이었어."

숲으로 들어가니 유노가 즐겁게 떠들기 시작했다.

"최상급 마법은 수행 시절에도 보긴 했지만, 전력은 처음 아니야?"

"그렇게 마력을 쏟은 건 확실히 처음이네."

"루온은 다른 속성이나 기술도 습득했는데…… 쓸 기회가 있을까?"

"시간과 경우에 달렸다는 말밖에 못 하겠네. 그리고 최상급 마법은 쓰지 않는 게 나은 것도 있으니까."

"뭐? 왜?"

"너무 위험하잖아. 상상을 부풀려서 발동할 수 있지만, 피해 규모를 생각하면 쓰면 안 돼."

예를 들어 땅 속성 최상급 마법은 지진을 일으키는 『어스퀘이크』인데, 애초에 지진을 일으켜 적에게 확실한 피해를 줄 수 있을지도 불분명하고, 무엇보다 그런 마법을 사용하면 대륙이 엉망이 된다.

물 속성도 똑같았다. 물 속성 최상급 마법은 『아쿠아 카타스트로프』인데, 이 마법은 해일을 일으켜 주변을 가라앉히는 마법이었다. 게임에서는 아무렇지 않게 사용했지만, 믿을 수 없을 정도로 혼란스러운 마법으로, 도저히는 아니지만 쓸 게 못 됐다.

"뭐, 그래서 수행 시절에 쓸 만한 것만 단련한 거지. ……그리고 마력에 새로운 과제가 생겼잖아."

"지금도 리본으로 마력을 억누르고 있네."

"응. ……알겠어?"

"응. 하지만 이걸 가르치는 건 무리야. 나는 어디까지나 올바른 마력 흐름을 가르쳐줄 뿐이니까."

"이건 내가 어떻게든 해볼게."

"힘내. ……아, 루온. 질문 하나 더. 아티팩트 말인데, 소피아에게 어떻게 설명하고 주려고?"

"아, 그러게……. 내가 만들었다고 할까? 반지가 단순하고 마력도 그다지 느껴지지 않으니까 충분하겠지."

"좋아, 그럼 가면서 마법을 시험해보자. 자, 무기를 만들어봐."

"알았어."

대화와 마법 실험을 하며 우리는 숲을 걸었다. 주위에 마물의 기척이 느껴졌지만, 가르크와 만나기 전과 달리 평온했다.

제9장 노움의 왕과 마법사

검증 결과, 하급 마법은 마력을 억눌러도 평범하게 쓸 수 있었다. 중급 이상의 마법은 과제로 남았지만, 현재 마주치는 마물들의 힘을 생각하면 현시점에는 합격점이다. 앞으로 천천히 해결하자.

"어떤 기술과 마법을 우선해서 써야 할까……. 소피아를 훈련시켜야 하니까 후위 역할을 많이 맡을까? 그럼 처음에는 지원 계열 기술과 마법인가? 유노, 어때?"

"응, 그러면 될 거야."

그렇게 방침을 결정하자 숙소가 보였다. 오늘은 그만 자자고 생각했을 때, 레핀이 나와 있는 것을 알아차렸다.

"어라, 기다렸어?"

"네. 사정을 듣고 싶어서…… 성공했습니까?"

"응."

외투 안주머니에서 반지를 꺼냈다.

"이래저래 소동이 있었지만, 아티팩트는 얻었어."

"가르크 님과 대화하신 겁니까?"

"아니…… 그……."

나는 머리를 긁적이며 말했다.

"싸우게 됐어."

"······네?"

레핀이 얼빠진 소리를 냈다. 음, 지극히 당연한 반응이었다.

그 뒤로 천천히 무슨 일이 있었는지 말했는데······ 이야기가 진행될수록 레핀의 얼굴이 험악해지는 게 인상적이었다.

"—그리고 뭐, 최종적으로 아티팩트와 내 마력을 억제하는 도구를 받았어."

"······음."

레핀이 마지막까지 듣고 뺨을 긁적이며 난감한 표정을 지었다.

"지금 이야기, 사실입니까?"

"아, 응, 뭐······."

못 믿는 것도 무리가 아니라 나도 난감한 표정을 지을 수밖에 없었다.

"뭐, 신령님을 쓰러뜨렸다니 못 믿는 것도 당연해."

유노가 웃으며 말했다. 레핀은 더 당황했으나 곧—.

"과연······ 내 판단이 틀리지 않았어."

"응?"

"가르크 님을 쓰러뜨릴 정도의 실력을 갖춘 존재가 있으니······ 어쩌면 정령들도 하나로 뭉칠 수 있을지도 몰라."

······놀라서 그런지 정중했던 말투가 바뀌었다. 그만큼 충격이었나.

"그리고 이건 큰 계기야. 정령들은 원래 각 종족끼리 멋대로 굴었어. 하지만 정령을 쓰러뜨릴 정도의 존재가 있으면 통합

할 수 있을지도 몰라!"

"이, 이봐. 왠지 흥분한 것 같은데—."

"노움의 왕에게도 사정을 설명하자. 이번 일을 발판 삼아 다른 정령들도 끌어들여서 협력 체제를 만들자!"

흥분한 모습…… 우리가 침묵하자 레핀이 이성을 되찾았다.

"아, 저, 실례했습니다."

"아니, 말투를 도로 바꿀 필요는 없어. 그보다 편하게 말해야 소피아가 기뻐할걸?"

"……그래?"

"응."

우리는 가만히 시선을 교환했고— 이내 레핀이 수긍했다.

"그럼 한번, 이대로 해볼게."

"그래. 음, 노움의 왕에게 사정을 설명하려고?"

레핀이 고개를 끄덕였다. 음, 나도 정령이 힘을 빌려줬으면 하니…….

"정령들과 정보를 공유하는 건 나도 찬성이야. 소피아가 계약한 다음에는…… 막고 싶은 줄거리상의 이벤트가 있어. 그걸 막으면서 소피아를 훈련시키는 편이 효율적일까?"

"무슨 내용이었지?"

유노가 물었다. 그러고 보니 자세히 설명하지 않았네.

"이야기 주인공 중 한 명의 동생이 맞닥뜨리는 사건이야. 간단히 말하면 마물에게 잡아먹히고 말아."

"아, 수행하기 전에 얼핏 말했었지."

"용케 기억하네……. 뒷맛이 나쁜 이벤트라 막고 싶어."

"주인공의 가족이라면 그 사람도 현자의 핏줄이야?"

레핀이 물었다. 아, 듣고 보니 그러네.

"그렇긴 한데, 마왕을 무찌르는 존재가 될 것 같지는 않아."

"하지만 그런 인물을 구하면 마왕과의 전쟁에 유리하게 작용할 수도 있으니까 괜찮다고 생각해."

"그럼 노움의 거처에 갔다가 그쪽으로 가자."

나는 그렇게 이야기를 정리하고 가볍게 기지개를 켰다.

"그럼 슬슬 자야지."

"그래~. 잘 자, 루온."

"잘 자."

유노와 레핀이 인사하고 소피아의 방으로 돌아갔다. 나도 방으로 돌아가려다…… 문득 주위에 귀를 기울였다.

어디선가 벌레 울음소리 같은 것이 작게 들릴 뿐, 조금 전의 격전이 환상이었다는 생각이 들 정도로 조용한 밤이었다. 왠지 그것에 치유 받으며…… 곧 방으로 돌아갔다.

다음 날, 평소보다 적게 자고 일어났다. 참고로 마법을 걸어 놨던 길버트는 평범하게 일어나 문제없었다.

식당으로 가니 이미 소피아 일행이 기다리고 있었다. 그리고 내 조언에 따라 레핀이 격 없는 말투를 썼고 소피아도 그 변화가 기뻐 보였다. 이거, 좋은 기분전환이 되겠는데?

"있잖아, 소피아. 나는 당신도 편하게 대했으면 좋겠어."

"저는 이렇게 말하는 게 편합니다. 신경 쓰지 마세요."

"……하룻밤 만에 뭔가 달라졌네."

길버트가 감상을 늘어놓으며 자리에 앉았다. 나도 그 옆에 소피아와 마주 보며 앉았다.

그럼…… 어서 소피아에게 아티팩트를 줄까.

"소피아, 줄 게 있어. 예전부터 안고 있던 문제와 관련된 도구인데…… 어젯밤에 마력을 주입해 만들었어."

나는 주머니에서 반지를 꺼냈다.

"루온 님이……?"

거짓말을 하는 건 괴롭지만, 신령과 있었던 일을 말할 수는 없으니 묵묵히 고개를 끄덕였다.

"팔찌, 목걸이, 반지 중에 뭐로 할까 망설이다가 반지로 했어."

"고맙습니다."

소피아가 감사를 표하고 쭈뼛거리며 받았다.

"……예쁘네요."

"모양이 단순해서 방해되지는 않을 거야."

"네. ……하지만 검을 쥐는 오른손이 아니라 왼손에 끼는 게 무난하겠네요."

그녀는 물끄러미 반지를 들여다본 후, 나를 바라봤다.

"정말 고맙습니다, 루온 님."

"응. 손가락에 맞을지가 문제네. 금속 가공은 내 전문이 아니라서 크기는 못 바꿨어."

그러고 보니 전생(前生)과 반지를 끼는 의미가 똑같았지. 가령 반지를 약지에 끼울 경우에는—.

"루온 씨, 아주 대담한데?"

갑자기 길버트가 소리를 높였다. 나는 고개를 갸웃거렸다.

"대담?"

"여행 중에 프러포즈할 줄이야."

……한 의리 한다면서 이러기냐.

"남자의 마음은 알지만, 이런 건 분위기 있는 곳에서 해야지."

"야, 길—."

"기, 길버트 씨, 루온 님도 곤란해 하시니……."

소피아가 편들었다. 농담인 줄 아는 것 같지만, 표정이 풀려 있어서 귀여웠다. ……마법 도구이지만, 선물이 예쁜 반지라 기쁜 것 같았다.

"소피아, 어느 손가락에 맞나 껴봐."

그때, 유노가 말했다. 레핀도 「그래」 하고 동조했다.

"네, 네. 그렇군요……."

"응, 그럼—."

유노가 잠시 뜸을 들였다.

"약지부터 껴봐."

너까지 그러기야?!

머리를 쥐어 싸고 싶었지만, 난처한 표정을 지으면 소피아가 불편해할 테니 포커페이스를 유지했다.

"음…… 유노?"

"새끼손가락이랑 엄지는 안 맞을 것 같잖아. 자, 이 손가락에 맞으면 어쩔 수 없고."

"……어, 어어, 그러네요."

소피아가 대답하며— 나를 봤다. 나를 살피듯이 살짝 올려보는, 어딘지 가련한 시선이 그래도 되냐고 확인하는 것 같았다.

나는 반지를 약지에 끼면 어떤 일이 일어날지 생각해봤다. ……이상한 소문이 나면 곤란하지만,「하지 마」라고 말하기도 뭐했다.

"……소피아가 바라는 대로 해."

무난하게 말하자 소피아가 고개를 끄덕이고 망설임 없이 반지를 약지에 꼈다.

"……헐겁네요."

조금 아쉬워하는 것처럼 들린 것은 기분 탓일까……. 결국 중지에 딱 맞아서 거기에 끼기로 했다. 겉보기에 변화가 있나 주시했지만, 아무것도 없었다.

소피아가 왼손을 뻗어 반지를 낀 중지를 물끄러미 바라봤다. 유노와 레핀이 그 모습을 흐뭇하게 바라봤다. 길버트는 입가에 손을 대고 웃음을 참고 있었다.

내가 길버트에게 시선을 보내니 그가 어깨를 으쓱했다.「이 정도는 괜찮잖아」라고 말하고 싶은 듯했다.

……그래, 됐다. 이야기나 계속하자.

"그게 얼마나 통할지는 모르겠지만…… 만약 문제가 생기면 그때 생각하자. 마족이 언제 위협할지 몰라. 정체를 밝히는 날까지는 무슨 일이 있어도 끼고 있었으면 좋겠어."

"네, 소중히 여기겠습니다."

소피아가 밝게 웃으며 반지를 오른손으로 소중히 매만졌다.

……어쨌든 기분전환이 된 것 같아 잘 됐다.

그 와중에 음식이 나왔다. 내가 빵을 들고 먹으려 했을 때 길버트가 수프를 먹으며 물었다.

"루온 씨, 노움과 계약한 뒤에는 어떡할 거야? 계속 정령과 계약할 거야?"

"아니, 셋 이상의 정령과 계약하려면 마력이 어느 정도 높아야 해. 노움과 계약하면 마물 퇴치라도 하면서 수행하려고."

"호오, 그렇구나."

"……같이 가게?"

"아직 안 정했어."

길버트가 하하하 하고 웃었다. 유노가 그에게 말을 걸며 잡담이 시작됐다.

둘은 성격이 잘 맞는 것 같았다. ……이렇게 동료가 줄줄이 생긴다면 여러모로 생각 좀 해놔야겠다.

식사를 마치고 다시 여행길에 올랐다. 오늘도 날씨가 좋았다. 푸른 하늘 아래에서 소피아는 『버드 소어』 제어 훈련을 했다.

나도 검을 만들어 마력 흐름을 확인했다. 그냥 검이나 창을 만드는 정도면 리본이 뜨거워지지 않았다. 그러나—.

"검을 휘두를 때 주의해야겠는데……."

검을 휘두르며 검날에 마력을 주입했더니 일정량이 넘자 팔이 뜨거워졌다.

"정진해야겠어……."

"뭐야, 루온 씨도 훈련해?"

길버트가 나를 보며 쓴웃음을 지었다.

"둘 다 성실하네."

"목적이 있으니까. 목적을 이루려면 강해져야 해."

"그렇구나. 그래도 이렇게 걷는 와중에도 훈련하는 건 드물다고."

확실히 옆에서 보면 이상한가……. 문득 눈에 띄는 행동은 피해야 하나 싶었는데 인적이 드무니 상관없으려나? 기사라도 가까이 오면 조금 배려해야겠지.

"루온, 이 훈련이 잘되면 마력을 지금보다 더 미세하게 제어할 수 있을 거야."

갑자기 유노가 다가와 말했다.

"어쩌면 훈련하면 할수록 강해질지도 몰라."

지금보다 더— 사정을 아는 사람이 들으면 「여기서 더 강해져서 어떡하려고」라고 태클을 걸겠지만, 앞으로의 일을 생각하면 아무리 강해져도 부족했다.

"그럼 나도 소피아와 같이 열심히 할게."

"좋아, 내가 이것저것 전수해줄게."

유노가 내게 득의양양하게 말하고 조언하기 시작했다.

—우리는 훈련하며 여행을 계속했다. 시나리오도 문제없이

게임처럼 진행됐다.

하지만 마왕의 위협이 퍼지고 있는 것도 분명했고 언제 마족이 공격할지 몰랐다. 소피아도 같은 생각인지 여행 도중에 몇 번이고 표정을 다잡았다.

그러던 중, 우리는 노옴의 거처에 도착했다. 외관은 바위산에 뚫린 평범한 동굴이지만, 기척과 마력은 다른 곳과 다르게 느껴졌다.

―네 가지 속성의 정령들은 계약하기 전에 각각 이벤트가 있다. 노옴은 마족의 사주로 마물이 거처를 습격하는 이벤트였다. 만약 소동이 이어지고 있으면 입구 주변에서 노옴이 우왕좌왕하고 있을 텐데, 그러지 않는 걸 보니 이벤트가 끝난 모양이었다. 참고로 이벤트를 해결하는 것은 주인공이 아니다.

"좋아, 들어가자. 실프 때처럼 시간이 걸릴 수도 있으니까 소피아는 주의하고."

"……저기, 잠깐 괜찮을까?"

그때, 레핀이 손을 들었다.

"내가 안내하게 해줄래?"

"여기 와 본 적 있어?"

내 질문에 그녀가 고개를 끄덕였다.

"응, 여러 번 와 본 적이 있어."

"뭐하러?"

"이래저래. 주로 잡담이지."

일부러 잡담하려고 여기까지 왔다고……? 그 대답에 의아했지만, 정령끼리 정보를 교환하나보다, 라고 생각을 고치고 캐묻지 않았다.

거절할 이유가 없어서 레핀에게 안내를 맡기고 동굴 안으로 들어섰다. 그때, 안쪽에서 웃음소리가 들렸다. 누가 계약하러 왔나 보다.

잠시 뒤, 집회장처럼 넓은 공간이 나타났다. 갈라지는 통로가 많아서 대충 돌아다니는 것도 힘들 것 같았다.

동굴 안을 둘러보고 있으니 한 노움이 이쪽으로 다가왔다.

"노움의 거처에 온 걸 환영해."

열 살도 안 되어 보이는 흑발 소년이었다. 생김새가 마을을 뛰어다니는 아이와 별반 다르지 않았다. 다만, 눈은 생김새와 어울리지 않을 만큼 뚜렷한 의지를 담고 있었다.

"우리 노움과 계약하길 원해?"

"안녕?"

그때 레핀이 인사를 했다. 그러자 노움이 눈을 크게 떴다.

"당신은—?!"

"지인을 만나러 왔어."

다른 사람에게 왕이라는 신분이 밝혀지지 않도록 레핀이 먼저 말했다.

노움은 직접 언급하지는 않았지만, 레핀의 진의를 이해했는지 작게 고개를 끄덕였다.

"장소는 알고……?"

"응."

"그럼 이쪽으로."

노움은 통로를 가리켰다. 이제 길버트를 어떡할지 생각했다. 레핀이 안내하는 이상, 소피아의 사정을 이야기해야 했다. 아무것도 모르는 그와 동행하는 것은—.

"앗!"

어떻게 할지 고민하는데 길버트가 갑자기 소리를 높였다.

"어~이!"

그리고 손을 흔들었다. 뭔가 싶어 그쪽을 보니 한 쌍의 남녀가 다가왔다.

그중, 나는 여자를 보고 내심 놀랐다. —그녀는 동료가 되는 캐릭터 중 한 사람이었다.

"이야~ 오랜만이네."

길버트가 남자에게 말을 걸고 대화하기 시작했다. 그동안 나는 두 사람을 관찰했다.

먼저 여자. 짧은 머리 스타일에 구불거리는 갈색 머리카락과 기운 넘치는 얼굴. 옷은 방어보다 회피를 우선하는지 천이 얇았다. 그리고 연갈색 짧은 바지 아래 건강한 다리가 눈에 들어왔다. 무기는 단검 두 자루로 허리 뒤로 교차해서 찬 게 보였다.

이름은 캐룬 버피. 동료가 되는 캐릭터 중에는 고유기술을 가진 캐릭터도 있는데, 그녀는 셋뿐인 도적 계열 캐릭터 중 하나로 마물에게서 아이템을 훔칠 수 있었다.

능력은 솔직히 말해 별로였다. 무기 공격에 필요한 완력이 결정적으로 낮아서 화력이 부족하고 HP도 적어서 내구력이 없었다. 장점은 민첩성에 의한 높은 회피능력인데…… 게임에서는 피해량을 신경 쓰지 않고 힘으로 밀어붙이는 게 균형이 좋아서 시스템적으로 상성이 나빴다.

장점인 훔치기 스킬은 다른 도적 계열 캐릭터들이 능력도 더 좋고 다루기 쉬워서, 그녀를 솔선해서 쓰는 사람은 적었다. ……안 돼, 왠지 가여워졌다.

마음을 다잡고 다음은 남자. 진녹색 망토를 입은 몰개성한 마법사. 나무 지팡이를 들었고 검은 머리카락이 조금 부스스했다.

유일한 특징은 안경인가? 이 세계에는 코에 거는 안경이나 모노클이 있는데 그는 전생에서 흔히 봤던 귀에 거는 안경을 썼다. 그것도 무테— 꽤 고가품이었다. 다만, 분위기는 수수했다. ……왠지 모르게 일부러 눈에 띄지 않으려는 것 같기도 했다.

"흐응~, 이 사람과는 사건을 돕다가 알게 됐다고?"

길버트가 목소리를 높이자 남자가 나와 소피아를 교대로 봤다.

"저 사람들은?"

"아, 소개할게. 어……."

"루온 마딘이야."

"소피아 라톨입니다."

"……리엘 나라티야."

남자도 자기소개를 했다. 리엘 씨구나. 내가 「잘 부탁해」라고 말한 뒤, 길버트가 리엘을 손으로 가리키며 보충설명을 했다.

"나는 신성 마법을 쓰는데, 그중 몇 개는 이 사람의 도구로 습득한 거야."

아하…… 응? 잠깐만— 의문이 솟구쳤다.

하급 마법 한정이긴 하지만, 마법을 습득할 수 있는 특정한 아이템이 존재하는 건 분명했다. 다만, 게임에서는 레어 아이템이라 마법 연구기관인 아카데미아를 들르지 않으면 입수할 수 없는 물건이었다.

게다가 상당한 고가인데, 리엘이 그것을 생면부지의 타인에게 썼다는 사실이 조금 걸렸다. 기사에게 썼다면 또 몰라도…….

"난 캐룬 버피야. 잘 부탁해!"

잠시 생각하는 사이, 캐룬이 경쾌하게 자신을 소개했다. 외모처럼 쾌활한 성격인 그녀는 소피아 가까이에 있는 유노에게 주목했다.

"거기 있는 작은 분은?"

"나는 천사 유노."

"천사님과 함께 여행하는 사람들이구나. 흥미로운데?"

붙임성이 좋아 보였다. 유노가 「잘 부탁해」라고 인사하자 길버트가 리엘에게 말했다.

"노움의 거처로 간다고 한 지 꽤 된 것 같은데 아직도 있었어?"

"문제가 있었어. 마물이 동굴 안으로 침입해서 처리했지. 지금은 상황을 지켜보는 중이야."

―그와 캐룬이 노움의 소동을 해결한 모양이었다.

"그런 그쪽은 무슨 바람이 불었어? 일이 있다고 했잖아."

"일이 끝나서 온 거야. 아, 루온 씨네와는 그때 알게 됐어."

그가 그렇게 말하고 내게 제안했다.

"리엘과 이야기하고 싶어서 그런데 따로 행동해도 돼?"

"응, 괜찮아."

바라던 바였다. 소피아도 동의했고, 우리는 길버트와 헤어졌다.

"길버트 씨가 리엘 씨 쪽으로 합류할지도 모르겠네요."

"그러게."

소피아와 대화하며 레핀의 안내를 받아 앞으로 향했다. 가는 길에 여러 차례 소년들과 마주쳐 문득 궁금해졌다.

"……레핀."

"왜?"

"노움이 어린아이의 모습을 하는 데 이유가 있어?"

그녀는 입가에 손을 대고 설명했다.

"마력 덩어리인 정령은 어느 정도 모습을 바꿀 수 있는데…… 예를 들어 내가 이렇게 생긴 것은 선대 여왕을 계승한다는 뜻이기도 하고, 바람의 힘을 이용하기에 가장 효율적이기 때문이야."

"감정을 읽거나 능력을 이용하기에 가장 적합하다는 거구나. 그럼 노움은 어린아이의 모습이 가장 나은 거야?"

"맞아. 그리고 다른 노움들이 왕의 모습을 따라 하게 돼."

"따라 한다고?"

"응. 실프도 왕인 내 모습을 따라 해. 정령은 본래 자유로운 존재라 생김새를 통일해서 조금이라도 통솔하지 않으면 힘들거든."

……정령의 왕은 이래저래 고생하는구나.

"운디네와 샐러맨더는 부족을 이루고 살아서 다 똑같지는 않은데…… 그들은 물과 불에 녹아들면 형태를 이루지 않아도 돼서 좀 모호하네."

레핀이 대화를 마무리했다. 문득 게임에서 정령과 계약할 때, 인원수 제한이 있던 게 떠올랐다.

"레핀, 계약자가 늘면 정령끼리 힘이 충돌하게 되시?"

"그건 정령을 어떻게 운용하느냐에 달렸어. 신체 강화 중심이라면 문제없고 정령이 잘 조정하면 충돌을 피할 수 있어."

방식에 따라 달라지는 건가……. 게임 시스템적으로는 제약이 있었지만, 현실이 된 지금은 유연하게 된다는 뜻인가……. 그렇게 결론을 내리는 사이, 레핀이 본론으로 돌아갔다.

"지금부터 노움의 왕을 만날 거야. 소피아에게 협력해 줄 노움을 소개해달라고 교섭해볼게."

왠지 소피아가 주인공의 위치를 확보해나가는 것 같았다. 목적을 위해 서두르는 느낌이 들었다.

통로를 지나 도착한 곳에는 노움의 크기에 알맞은 작은 나무문이 있었다. 허리를 숙이면 들어갈 수 있을 것 같았다.

우선 노크해봤다. 그러자 안쪽에서 「들어오세요」라는 대답이 돌아와 손잡이를 돌려 안으로 들어갔다.

작은 문에 비해 방은 천장이 높고 넓었다. 여관의 큰 방 정도 되는데 일할 때 쓰는 것 같은 테이블 외에는 큰 가구가 없었다. 그 밖에는 다른 방으로 이어지는 문이 하나 있는 정도로 꽤 살풍경했다.

주목할 점은 책상 안쪽의 의자에 앉은 소년. 금발에 귀족 아이처럼 기품이 넘쳐흐르는 모습이었다. 그는 우리를 힐끗 보고 자리에서 일어나 다가왔다.

그는 다른 정령과 격이 다른 분위기를 갖고 있었다. 어른이 아닌 아이의 몸으로 그런다는 것이 신기했다. 사람에 따라서는 두려움을 느낄지도 모르겠다.

"레핀이군. 오랜만인데?"

왕이 우리를 마주 보고 청년 같은 늠름한 목소리로 말했다.

"게다가 인간을 데리고 올 줄이야."

"안녕, 아크나."

레핀이 노움의 왕— 아크나에게 대답했다.

"일이 있어서."

"흠, 그쪽 여자와 계약했나? 왕이 직접 하다니…… 대륙의 상황을 고려해 결단했나."

"응. 나는 이쪽에서 장래성을 보고 함께 싸우고자 계약을……"

레핀이 부드러운 목소리로 서두를 떼고 설명했다. 소피아는 기대 받고 있다는 것에 새삼 긴장했는지 표정이 딱딱해졌다.

말한 내용은 소피아의 정체뿐, 대강 이야기를 마치고 레핀이 새삼스레 이곳에 온 이유를 말했다.

"아크나, 이번에는 인사와 함께 우리와 계약할 정령을 찾으러 왔어."

"현자의 핏줄인 왕녀라……."

왕은 소피아와 눈을 맞췄다. 키 때문에 우리를 올려다봤지만…… 소피아를 향하는 시선은 매우 날카로웠다. 마음을 확인하려고 하는 것 같았다.

"……괜찮게 생겼군. 믿을 수 있겠어."

"어머, 내 말은 못 믿어?"

레핀의 뼈 있는 말에 아크나가 웃었다.

"너와 달리 감정을 읽지 못하니까. 나는 나만의 기준…… 눈을 맞추고 사람을 확인해서 직접 판단하고 있어."

"……어린아이의 모습인 데는, 그런 이유도 있나?"

아무 생각 없이 묻자 아크나가 깊이 고개를 끄덕였다.

"노움은 대지와 관련된 정령이기 때문에 풍작을 바라는 인간과 접할 기회가 많아. 그중에는 속셈이 있어 아첨하는 인간도 있다만…… 그런 녀석은 이 모습으로 연기하면 얼굴에 본심이 드러나지."

……그렇구나.

"좋아, 그럼 소개하지. 하지만 레핀, 내가 갈 수는 없어."

"알아. 후보는 있어?"

"네가 동행하니 고만고만한 정령은 어울리지 않겠지. ……그래, 로쿠토라면 레핀과 어깨를 나란히 할 수 있겠어."

"아, 아는 사람이야. 그럼 괜찮겠네."

"그럼 먼저 말을 전하지."

왕이 손뼉을 짝짝 쳤다. 그러자 옆에 있는 문에서 한 노움이 나타났다.

아크나가 그에게 지시하자 노움이 방을 나갔다. 전령인가?

"이제 됐어. ……그리고 레핀, 이건 다른 이야기다만, 얼마 전에 성가신 일이 있었다."

"사정을 아는 리엘 씨와 입구에서 이미 이야기했어."

"그런가. 그와 힘을 합쳐 해결했다만…… 비슷한 일이 또 일어날지도 몰라서 주의하고 있는 중이다. 그쪽의 거처는 괜찮나?"

"내가 없어도 대응할 수 있게 해놨어."

레핀이 나를 힐끗 봤다. 나는 마주 보기만 했다.

"그런데 인간과 함께 싸우다니 당신이야말로 별일이네."

레핀이 다시 아크나에게 말을 돌리니 그가 머리를 긁적이며 대답했다.

"기묘한 인연이야. 그 인물이 아직 이곳에 머물고 있는데……."

그때, 아크나가 손을 탁 쳤다.

"흠, 그래. 레핀, 동포 중에 뛰어난 정령을 소개했으니 대가를 받아도 되겠나?"

"괜찮은데, 뭘 하면 돼?"

"도와준 리엘 공에게 은혜를 갚고 싶다만, 정령의 몸으로는 한계가 있어. 그래서 레핀 일행에게 부탁하고 싶다."

과연…… 하지만 문제가 있었다. 리엘이 앞으로 무엇을 할지 몰랐다. 나는 비극적인 이벤트를 막고 싶은데…….

"아, 지금 당장이라는 소리는 아니야. 리엘 공은 대륙을 습격한 마왕과 싸울 생각이니 조금 도와줬으면 좋겠다."

뭐, 그런 거라면…… 나는 고개를 끄덕였다. 아크나는 그걸로 충분한지 「부탁한다」고 했다.

"그럼 로쿠토의 방으로―."

"아, 잠깐 괜찮을까?"

레핀이 아크나의 말을 끊고 입을 열었다.

"정령에 관한 일로 이야기 좀 하고 싶은데……."

나에 대해 말할 셈이군.

"그런가? 나는 괜찮다만."

"소피아, 잠깐 떨어져 있을 건데 괜찮아?"

"괜찮습니다. 저는 계약하러 가겠습니다."

우리는 레핀을 두고 노움의 안내를 받아 로쿠토가 있는 곳으로 갔다. 몇 분 정도 잠시 걸으니 방에 도착해 안으로 들어갔다.

눈에 들어온 것은 벽 근처에 앉은 갈색 머리카락 소년이었다.

"당신이 로쿠토 씨인가요?"

소피아가 묻자 노움― 로쿠토가 일어섰다.

"이야기는 들었습니다. 여러분, 저는 편하게 부르세요. 그리고 왕이 지정했으니 상성도 괜찮을 거라고 생각합니다. 실프의 왕과 현자의 후예인 당신에게 얼마나 공헌할 수 있을지는 모르지만 사력을 다하겠습니다."

아니, 또 성실한 느낌의 정령이……. 뭐, 소피아와는 잘 맞지 않을까?

소피아는 바로 계약했다. 결과는 아주 순조로웠다. ……원래 이다음에는 얼른 떠날 생각이었지만, 노움의 왕의 요구도 있으니 리엘과 대화해볼까?

"소피아, 계약해보니 어땠어?"

"특별한 변화는 느껴지지 않습니다만…… 로쿠토, 어떻습니까?"

소피아의 물음에 계약 후 모습을 감춘 로쿠토가 다시 나타났다. ……다만, 모습이 바뀌어있었다.

"느낌은 나쁘지 않네요."

생김새는 그대로이나 레핀이나 유노만한 크기가 되어 공중에 떠 있었다. ―인간과 계약하면 기본적으로 작아져서 나는 의문을 가지지 않았지만, 유노는 그렇지 않았다.

"실프 외의 정령은 다들 이렇게 변해?"

"자연스럽게 이렇게 됩니다."

로쿠토가 대답했다.

"이런 모습이 인간과 연계하기 적합하다는 거겠죠. ……소피아 님, 잘 부탁드립니다."

"네. ……루온 님, 이제 앞으로 어떡할까요?"

"마물과 싸우기 전에 상성이 얼마나 잘 맞는지 검증해 봐야겠어."

게임에서는 여러 정령과 계약해도 능력이 향상될 뿐, 단점이 없었다. 현실에서는 어떨지 모르겠다.

"하지만 나중에 시험해보기로 하고…… 노움의 왕이 요구한 대로 리엘 씨와 대화해볼까?"

"그래요."

우리는 길버트와 헤어진 곳으로 돌아갔다. 아까처럼 대화하는 광경이 보였다.

"이봐, 길."

"응, 끝났어?"

"응. 그쪽은 어때?"

"우리도 끝났어. 그리고 루온 씨에게 부탁이 있는데……."

길이 우물쭈물했다. 태도를 보니 무엇을 요구하려는지 알겠다.

"정령과 계약했으니까 힘을 시험해보고 싶어."

이 부탁은 들어줘야겠군.

"좋아. 단, 상대는 내가 아니라 소피아야."

"저도 시험해보라는 뜻이군요."

뜻을 알아차린 소피아에게 나는 「맞아」라고 대답했다.

"여기서는 좀 그렇지? 밖으로 가자. 아, 그런데 레핀이 따로 행동 중이야. 돌아오면—."

"기다렸지~."

뒤에서 목소리가 들렸다. 호랑이도 제 말 하면 온다더니 레핀이었다.

"무슨 상황이야?"

"정령과 계약했으니 힘을 시험해보려고."

"그렇구나. 그럼 밖으로 가자."

길버트 일행이 걸음을 뗐다. 그러자 여러 노움들이 리엘에게 손을 흔들었다.

그는 인사에 답하며 입구로 걸어갔다. 소동을 해결해서 정령들의 신뢰를 얻은 모양이다. ……좋아, 다가가서 말을 걸어보자.

"리엘 씨, 노움과 아주 친해졌네."

"응. 정령에게 사랑받다니 이상한 기분이야."

"앞으로 어떡할 거야?"

"다음 목적지는 이미 정해놨어."

흠, 노움의 왕의 부탁을 들어주고 싶지만, 그가 다음에 갈 곳에 따라서는 협력하기 어려우려나…….

밖으로 나온 우리는 동굴에서 조금 떨어졌다. 생각보다 계약이 빨리 끝나서 태양은 아직 정점에 이르지 못했다.

"소피아 씨, 안 봐줘도 돼."

"네, 부탁합니다."

소피아와 길버트가 대치했다. 두 사람은 검을 뽑아 겨눴다.

나와 유노, 리엘, 그리고 캐룬은 옆에서 지켜봤다. 길버트의 기량을 생각하면 소피아가 유리한 게 분명했다. 과연 어떻게 될까…….

길버트가 선수를 쳤다. 기세를 신고 파고들어 위에서 검을 내리쳤다.

소피아가 그에 맞섰다. 검을 치켜들고 우선 방어— 초보자가 보면 선이 가는 그녀가 길버트의 검에 쓰러지는 그림을 상상하리라.

그러나 마력으로 신체를 강화한 것이 그 예상을 뒤집었다.

검이 단단히 맞물리고 움직이지 않았다. 길버트는 기세가 죽어 팔심으로밖에 밀어붙이지 못했다.

이렇게 되면 대처가 편하다. 소피아는 검을 미끄러뜨려 깨끗하게 받아넘겼다. 길버트가 즉각 맞섰지만, 소피아는 일단 후퇴해 검을 피했다.

그리고 반격— 인사 대신 검을 옆으로 휘둘렀고 길버트는 방어했다. 쇠가 부딪히는 소리가 높이 울린 것을 계기로 소피아가 노도와 같이 공격을 퍼부었다.

검의 격돌이 이어지고 길버트가 힘에 밀려 점점 물러나기 시작했다. 이대로 가면 허를 찔러 승패를 가를 수 있었다. 결판이 나는 것도 시간문제인가.

그때, 옆에 있던 캐룬이 갑자기 허리에서 단검을 뽑았다.

"……저기?"

그녀는 내 말을 무시하고 조용히 달렸다. 아니, 설마—.

"뭐, 그냥 보면 되겠지."

내가 반응하기 전에 유노가 말했다. 캐룬은 밀리는 길버트의 옆으로 끼어들 듯이 단검을 날렸다.

당연히 소피아는 공격을 중단하고 거리를 두며 피했다.

"당신도 참전하는 겁니까?"

"나도 노움과 계약해서 시험해보고 싶었어."

캐룬이 단검을 역수로 들고 말했다.

"길버트 씨에게 가세한 건, 1대1이면 금방 결판이 날 것 같아서야. ……그러면 재미없잖아?"

"……반박할 수 없다는 게 슬프다."

길버트도 단독으로는 소피아를 이길 수 없다고 인식한 모양이었다.

"저는 상관없습니다."

한편, 소피아는 태연했다.

"2대1도 훈련이 됩니다."

"오, 여유로운데?"

"방심하지는 않았습니다만."

"뭐, 상관없어. ……몸놀림을 보니 기사 훈련을 받은 사람인가 보네. 그럼 그에 맞춰 싸워줘야지!"

캐룬이 달렸다. ―민첩성 외의 스테이터스는 평범하지만, 현실이 된 지금은 그 순발력이 위협적일 수도 있겠다.

그에 맞춰 길버트가 뒤를 따랐다. 오늘 처음 만나서 연계고 뭐고 없을 텐데 그래도 달렸다.

소피아는…… 캐룬을 봤다. 아직 그녀의 실력을 모르기 때문에 그쪽을 경계했다.

"……기사의 딸인가?"

갑자기 리엘이 물었다. 소피아가 낮은 자세로 공격하는 캐룬의 단검을 받아넘겼을 때, 나는 대답했다.

"아니, 조금 다른데…… 복잡한 사정이 있어서 되도록 말하고 싶지 않아."

"그런가."

리엘이 먼저 말을 걸었다. 그렇다면—.

"당신, 마족과 싸울 생각이라며?"

"노움에게 들었나?"

"응. 우리도 목적이 같아. 괜찮다면 협력할까?"

소피아가 캐룬을 밀어붙였다. 마력으로 힘을 강화해 공격 속도가 빠른 캐룬을 완전히 압도했다.

"합력이라……. 사람이 많은 편이 나은 건 분명한데…… 그쪽은 괜찮아?"

"내용에 따라 바로 돕지 못할 수도 있어. 아까 다음 목적지가 정해졌다고 했지?"

"응. 마물 토벌 일을 받아서 거기로 갈 거야."

소피아가 캐룬에 이어 공격하는 길버트를 날려버렸다. 대전 상대 둘 다 노움과 계약했는데도 그것이 느껴지지 않을 정도로 소피아의 힘이 강화됐다. 능력이 좋은 로쿠토와 계약해서 그런가?

"나와 캐룬, 둘로는 불안하다 싶었으니 협력해준다면야 고맙지. 하지만 보수는 똑같이 나눌 거야. 나는 별 상관없어."

"장소는?"

리엘이 나를 힐끗 보고 말했다.

"라틀라스 숲. 여기서 북서쪽에 있고 안개가 짙은, 많은 마물이 서식하는 곳이야."

순간, 생각이 멈췄다. 그것을 체현하듯이 소피아 일행도 정지했다.

그가 가려는 곳은 내가 막고 싶은 이벤트의 발생 지점이었다.

"루온 씨?"

갑자기 침묵해서 그런지 리엘이 이름을 불렀다. 나는 조금 당황해서 「미안해」라고 대답했다.

"아니, 가봤던 곳이라 놀랐어. 원래도 마물이 많았는데 지금은 더 심해?"

"그렇다고 해. 마왕이 침공해서 마물이 많아진 모양이야. 숲 속에서 뭔가를 하고 있다고 보는 게 맞을 거야."

"알았어. 그럼 협력할게."

"고마워."

리엘이 말했을 때, 캐룬이 내달렸다. 길버트도 따라갔다.

소피아는 둘을 피하면서 검을 겨누고 우선 캐룬과 검을 부딪쳤다. 즉각 튕겨내고 반격하려고 했으나— 캐룬이 갑자기 옆으로 도망쳤다. 그 가벼움은 소피아도 따라가지 못했고, 이어서 길버트가 달려들었다.

"협공?"

유노가 움직임을 읽고 중얼거렸다. 정답이었다. 캐룬이 등 뒤로 돌아갔다.

소피아도 막지 못 하겠는데— 그렇게 생각한 순간, 소피아가 마력을 썼다.

"마법인가?"

리엘의 추측과 동시에 소피아의 검이 흔들렸다. 낯이 익었다. 저건 마법과 기술을 조합한— 마도기였다.

순간, 소피아는 검을 역수로 바꿔 들고 바닥에 검을 꽂았다. 발치에 마력이 생겨나 지면을 타고 퍼졌고, 소피아 주변에 충격파가 일어났다.

"으악?!"

"꺅?!"

길버트와 캐룬이 비명을 지르며 자세가 크게 무너져 엉덩방아를 찧었다.

"—승패가 정해졌군."

내가 그렇게 확신하자 근처에 있던 유노가 그쪽으로 날아갔다. 리엘도 캐룬 일행 곁으로 가 대화를 나눴다.

"마지막 공격은 예상하지 못했어. 노렸던 거야?"

길버트의 말에 소피아가 고개를 가로저었다.

"아뇨, 순간적인 판단이었습니다. 협공하는 순간, 로쿠토…… 노움이 말해줬습니다."

승패를 가른 기술은 땅 속성 하급 마도기인 『록 스플래시』였다. 지면에 마력을 방출해 주변 적에게 피해를 준다. 다만, 위력은 낮았다. 조금 전의 공격도 조절하긴 했지만, 본 실력을 다해도 대단한 피해는 주지 못했을 것이다.

게임에서는 순간적으로 몸을 젖히는 정도라 이용 가치가 별로 없는 기술인데, 현실이 된 지금은 쓸 데가 있을지도 모르겠다.

그리고 노움과 계약하면 능력이 오르는 것이 명확해졌다. 싸울 때 익숙하게 사용하는 걸 보니 문제도 일어나지 않겠지.

이것저것 생각하는 사이, 나를 제외한 모두가 흥겹게 대화를 나누며 분위기가 화기애애해졌다. 나도 대화에 끼려고 다가가는데—

"아, 루온 공."

뒤에서 목소리가 들려 돌아보니 그곳에는…… 노움의 왕 아크나가 있었다.

"무슨 일이야?"

"레핀에게 사정은 들었다. 여러모로 믿을 수 없는 부분도 있지만."

지극히 당연한 말이었다.

"이야기를 듣고 꼭 묻고 싶은 게 생겼다."

"뭔데?"

"거점을 만드는 마족…… 루온 공이 5대 마족이라고 부르는 존재가 땅속에 마력을 주입하는 것에 관해서다. 이건 원래 조사로 파악했던 일이다."

땅의 정령이라 땅과 관련된 일은 알고 있었나.

"마왕의 계획 같다만…… 내버려 둬도 괜찮겠나?"

"거기에 간섭하면 어떻게 될지는 나도 몰라. ……어떻게 조사했어?"

"현지에 가서 상황이 어떤지 확인한 정도다. 마족에게는 들키지 않았다만…… 알려지면 곤란한가?"

"그럴걸."

내가 고개를 끄덕이자 아크나가 「그렇다면」이라고 서두를 뗐다.

"그럼 신중하게 움직이지. 우리는 들켜서 마족의 표적이 되는 것은 피하고 싶으니까."

"미안."

"아니, 괜찮아. 루온 공의 지식과 힘이 이 전쟁에 크게 관여하는 것은 나도 잘 알고 있어. 그럼 그렇게 하지. 기대하겠어."

왕은 그 말을 남기고 사라졌다. 기대, 라…….

내 지식이 마왕과의 전쟁을 바꿀 수 있다는 건 안다. 하지만 역시 혼자서는 한계가 있다. 시나리오대로 진행되면 이대로도 괜찮겠지만…… 정보를 어느 타이밍에 누구에게 넘겨야 하지?

하지만 소피아의 일도 있고…… 이야기가 어떻게 바뀔지 몰랐다. 시나리오가 붕괴할 위험성도 높아질 것이다. 역시 현단계에서는 정보를 숨기는 게 무난한가…….

"루온 씨, 소피아 씨에게 숲으로 간다고 말했어."

리엘이 말했다. 나는 작게 고개를 끄덕이고 소피아에게 말했다.

"정령과 계약도 했으니 훈련이 될 거야."

"네, 꼭 하죠."

"그런데 보수를 타협해야겠네. 리엘 씨, 그건 어떡해?"

"캐룬은 동의했어. 길버트 씨만 남았는데."

"나도 괜찮아. 폐가 되지 않도록 노력할게."

길버트가 쓴웃음을 지으며 검을 검집에 넣었다.

"이야~, 소피아 씨는 강하네. 나도 분발해야겠어."

"열심히 훈련하고 있다는 걸 확실히 알겠어."

캐룬이 길버트에게 동조했다.

"뭐, 나도 수행이 부족했다는 거지. 이번 의뢰를 처리하면서 발목 잡지 않도록 노력할게."

소피아는 멤버 사이에 잘 녹아들겠군.

"좋아, 결정됐군. ……리엘 씨, 오늘은 어디서 묵을 거야?"

"숲이 있는 쪽으로 가다가 도중에 있는 마을에서 쉬자. 아직 시간이 이르니까 목적지까지 좀 더 가고 싶어."

리엘이 제안하고 모두에게 시선을 던졌다.

"갑작스레 함께하게 됐지만— 사이좋게 지내자."

갑자기 파티를 결성하게 됐지만, 리엘과 캐룬이 소피아를 호의적으로 대해서 인간관계로 걱정은 없을 것 같았다.

그러나 파티를 결성해도 만족스러운 연계가 이루어지지 않으면 다칠 가능성이 컸다. 따라서 노움의 거처를 떠난 밤, 저녁 식사 자리에서 어떡할지 회의하기로 했다.

"인원이 늘어서 통솔자가 필요하군."

둥근 테이블을 둘러싸고 앉아 리엘이 처음으로 입을 열었다.

"다섯 명이나 있으니 누군가가 지휘해야 해."

"그건 걱정할 거 없어."

길버트가 바로 반응했다.

"적임자가 있어. 그렇게 됐으니까, 잘 부탁해, 루온 씨."

……뭐?!

"나?!"

"달리 누가 있어?"

"어, 아니, 그……."

"소피아 씨는 루온 씨의 종자라서 지휘를 맡으면 이상하잖아? 내가 할 노릇도 아니고, 캐룬 씨도 그런 건 안 어울리고."

"그건 인정해."

캐룬이 물을 마시며 동조했다.

"그럼 리엘 씨나 루온 씨가 해야 하는데, 나는 천사의 유적에서 보여준 지휘능력 때문에 루온 씨를 추천해."

그, 그렇게 나오다니…….

"호오, 흥미로운데?"

리엘이 반응했다. 길버트에게 그때 이야기를 듣기 시작했다.

이, 이거 불리한데……. 소거법으로 나나 소피아, 리엘이 맡아야 하는데…… 소피아는 종자라서 거절하겠지. 그럼 나나 리엘―.

"과연, 그럼 루온 씨에게 맡기자."

깔끔하게 결정― 이러면 거절을 못 하잖아!

마지막 희망이라는 듯이 유노를 바라봤으나…… 소피아의 어깨에 앉아 「힘내」라고 말하고 싶은 표정을 지었다. 음, 기대하는 게 분명하군.

"……솔직히 얼마나 잘할 수 있을지 모르겠어."

결국 한숨을 내쉬며 말했다. 뭐, 이건 이거대로 동료들을 제어할 수 있으니 잘 됐나?

"루온 씨라면 괜찮다니까. 그럼 내일부터 부탁할게."

길버트가 한 마디로 마무리했다. 내일부터냐.

소피아는 아주 당연하다는 듯이 눈을 빛냈다. 이 결론이 지극히 당연하다는 분위기고…… 유적에서 싸웠을 때도 나를 칭찬했지, 참…….

"알았어. 잘 부탁해."

이렇게 내가 통솔자가 됐다. 유적 때처럼 편해졌다고 긍정적으로 받아들이려고 했지만…… 어쩌면 앞으로 계속 이런 역할을 맡는 게 아닐까 생각하니 속이 아파오는 것 같다.

제10장 금기의 힘

내일부터 막고 싶은 이벤트가 일어나는 라틀라스 숲으로 간다.

주인공들을 관찰하는 사역마에 의하면 이벤트가 일어나는 상황에 가까워진 것은 틀림없었다. 이벤트 당사자도 근처 마을에 있는 것을 발견했다.

이름은 알트 문레이트. 보물 사냥꾼을 자칭하며 대륙 각지를 돌아다녔다.

마족이 습격하기 전에는 유적에 들어가는 것도 어려웠다. 어디 있는지 특정하기도 어려워서 문헌 등을 읽고 뒤지고 조사해야 했다. 그리고 유적이 어디 있는지 알아도 들어가기 위해 복잡한 절차를 밟아야 했고, 그게 결실을 보는 일도 적었다. ……솔직히 수지가 안 맞았다.

그러나 낭만을 찾아— 혹은 보물을 찾아, 매일 용병 일을 하며 유적으로 가는 사람이 꽤 있었다. 알트도 그랬다.

지금 상황은 보물 사냥꾼에게 절호의 기회였다. 마족들이 내뿜는 장기 때문에 유적이 나타나게 됐기 때문이었다. 알트도 시나리오 처음에는 그렇게 모습을 드러낸 유적을 돌아다니게 된다.

그런 여행 도중, 알트는 이 이벤트와 연관된다. ······피해자는 그의 여동생인 스텔라다.

"제법 북적이게 됐네."

유노가 입을 열었다. ―지금은 밤, 드디어 내일 라플라스 숲에 들어가기 전에 그녀가 회의하고 싶다고 제안했다. 장소는 밖으로, 별이 무척 아름다웠다.

사람이 늘어나니 이렇게 둘이서 이야기할 타이밍도 적어졌다. 유노는 대화 상대가 많아져서 즐거운 것 같았으나 내가 아는 정보를 묻지 못해 조금 불만인 모양이었다.

나도 유노에게 도와달라고 부탁하고 싶어서 회의에 찬성했다.

"그래서, 이번에 가는 숲에서 게임 주인공인 알트라는 사람과 동생을 만난다고?"

"응. 비극의 내용은 예전에 말했듯이 동생이 마물에게 잡아먹혀."

알트는 안개가 짙은 숲에 천사의 유적이 있다는 말을 듣고 발을 들인다. 그러나 그곳은 마물의 둥지가 됐고······ 그런데도 상관하지 않고 나아가다 안쪽에서 보스인 거대한 식물 계열 마물과 마주친다.

그 녀석을 쓰러뜨리면서 이벤트는 종료― 흐름은 간단하지만, 마물이 성가셨다.

"오빠인 알트가 안으로 들어가면 먼저 갔던 동생인 스텔라가 보스에게 잡아먹혀. 게임에 먹히는 순간이 확실하게 묘사됐어. ······그래서 이 이벤트는 막을 방법이 없어."

"반드시 그렇게 된다고……."

"응. 게임 진행이 늦을 경우에는 이미 잡아먹힌 상태로 보스와 맞서게 되고 알트는 동생이 잡아먹힌 것을 모른 채 이야기가 진행돼."

동생이 잡아먹힌 것을 목격하면 그에 대한 복수심에서—만약 모른다면 마족의 위협이 임박한 것을 느끼고, 알트는 마족과의 전쟁을 본격적으로 시작한다.

즉, 어떻게 바꿔도 시나리오에 영향을 주지 않았다. 그런 의미로 스텔라는 이벤트 상 별로 가치가 없고 취급도 나빴다. 그러니 구해도 시나리오에 영향은 없을 것이다.

"초반에 어떻게 하고 싶은 이벤트는 이게 끝인데…… 앞으로는 5대 마족의 동향을 신경 써야 해."

"계기가 되는 사건이 있다는 거지?"

"맞아. 놓치면 안 돼."

주인공들은 아직 5대 마족과 관련된 이벤트를 접하지 않았다. 현시점에서는 시작될 징조도 없지만…… 지금보다 주의해야 했다.

"여하튼 내일 숲으로 들어가 스텔라를 구할 거야."

"있지, 먼저 가서 그 여동생과 합류하거나 그러지는 않을 거야?"

"되도록 그러고 싶은데, 리엘 일행을 무시하고 독단으로 움직이면 수상하잖아. 숲에 들어간 뒤에 조정할게."

"그럼 루온의 전투 방식은 점점 지원 쪽으로 가는 건가?"

전위는 소피아와 길버트와 캐런— 이렇게 되면 리엘과 함께 후위에 있어야겠군.

"그런 부분은 잘 챙기도록 노력할게. 무기도 지원용으로 바꾸고."

"오, 그렇게 말했겠다~."

"내게도 수행이 되니까. 무엇보다 라틀라스 숲의 이변은 마족과 연관돼 있어. 만약을 위해 힘을 숨기고…… 아무도 다치지 않은 상태로 이벤트를 끝내고 싶어."

"리더는 큰일이구나."

"놀리지 마……. 정말로 큰일이니까."

천사의 유적에서의 전투를 돌이켜보면 지휘하는 인간이 없으면 위험해지는 게 명백했다. 내 역할은 동료가 다치지 않게 이끄는 것. ……왠지 이런 역할을 자주 할 것 같은 기분이 드니 이참에 익숙해져야 하나…….

"유노도 무슨 일 있으면 도와줘."

"뭐하면 돼?"

"동료가 늘면 개개인에게 주의력이 떨어지니까, 알아차린 게 있으면 조언 부탁해."

"좋아, 알았어."

유노가 승낙했다. 이렇게 비밀회의가 끝났다.

다음 날, 아침. 태양도 뜨지 않은 시간에 숲으로 향했다. —사역마의 정보에 의하면 스텔라도 움직이고 있었다. 타이밍을 보면 그녀가 보스에게 도착하기 전에 합류할 수 있을 것 같았다.

그리고 동료들은 지금까지에 비해 대화도 적고 이야기하는 내용도 전투에 관한 것뿐이었다.

"루온 씨, 나랑 소피아 씨가 전위에 서면 되지?"

길버트가 물었다. 내가 고개를 끄덕였을 때, 시야에 숲이 들어왔다.

원래 늘 안개가 끼는 곳인데, 새벽이라 그런지 더 짙었다. 마족에게는 흉계를 꾸미기에 안성맞춤이겠지.

"어마어마한데~."

캐룬이 숲 입구에서 소리를 높였다.

"여기서도 짙은 장기가 느껴져."

"보통 방법으로는 갈 수 없겠군요."

소피아가 이어서 말했다. ―보기에는 장기가 침입자를 거절하는 것처럼 느껴졌다.

예를 들어 아이들은 어른이 「가면 안 돼」라고 경고한 곳에 일부러 발을 들이는 행동을 하는데…… 이 숲은 아이가 곁눈질도 하지 않고 도망칠 것 같았다.

"……아까 길이 확인했지만, 한 번 더 역할을 알려줄게."

나는 모두에게 말했다.

"전위는 소피아와 길. 후위는 나와 리엘. 캐룬은 두 사람을 지원하고 후위를 호위해줘. 상황에 따라 위치를 바꿔주고. 할 수 있어?"

길버트가 「지휘할 거면 존칭 쓰지 말고 상관처럼 행동하는 게 나을 거야」라고 해서 시험 삼아 해봤는데 의외로 효과가 있었다. 모두의 표정이 야무졌다.

지시를 받은 캐룬이 숲을 힐끗 봤다.

"좋아. 어떻게 행동할지는 내가 판단해도 되지?"

"기본적으로는 그렇게 해. 위험할 것 같으면 내가 지시할게."

"응."

"그리고 리엘 말인데…… 지원이라고 하긴 했지만, 방법이 여러 가지잖아?"

"응. 공격으로 지원할까? 아니면 지원 마법으로 대응할까?"

"공격 담당으로. 물론 나도 참가할 건데, 선택지를 늘리려고 머리 좀 짜봤어."

나는 그에게 그렇게 말하고 마력을 조작했다.

"형태를 이루어라— 마를 꿰뚫는 힘."

오른손에 빛이 모이더니 단번에 부풀어 올랐다.

"……루온 씨, 활도 쓸 수 있어?"

길버트가 물었다. 마법으로 만든 것은 장식 없는 단순한 활이었다.

"검 이외에도 쓸 수 있게 지도받았거든."

사실이었다. 검술을 가르쳐 준 두 분의 스승님 중 지방 기사가 「다른 무기도 일단 배워라」라며 가르쳐줬다. 그리고 수행 시절, 기술을 습득할 때 쓰기도 해서 잘못 쏴서 동료를 맞추지는 않을 것이다.

활을 쓰는 데는 다른 이유도 있었다. 가르크에게 받은 리본을 두르고 하는 제어훈련에 한몫할 것 같기 때문이었다.

동료를 지원하고 나를 단련할 수 있다. 그야말로 일거양득이었다.

"그럼 루온 씨, 부탁해."

길버트가 활짝 웃으며 말했다. 신뢰하는 것 같은데, 왠지 모르게 다 떠맡기는 것 같기도 하고…… 아냐, 됐다.

"그럼 가자. ……아, 리엘. 의뢰 내용이 안쪽에 있다고 생각되는 숲의 주인을 토벌하는 거 맞지?"

"응. 장기가 열어지면 돼."

"좋아, 그럼— 출발."

호령에 따라 각각 움직이기 시작했다. 선두는 길버트와 소피아. 캐룬이 두 사람 다음, 그리고 나와 리엘은 가장 뒤에서 걸었다.

사역마의 정보에 의하면 스텔라도 다른 곳에서 숲으로 들어가 앞으로 나아가는 데 고생하고 있었다.

"왔습니다."

소피아가 입을 열었다. 정면에 마물— 검을 든 갈색 『고블린』 두 마리가 나타났다. 예전에 소피아가 싸웠던 붉은색보다 한층 강한 타입이었다.

"조심해. 이 정도 강한 놈은 이래저래 잔꾀를 부릴 거야."

"네!"

소피아가 경쾌하게 대답한 직후, 고블린이 공격했다.

그녀는 우선 마물의 검을 가볍게 피하고 거리를 좁히려고 안으로 파고들었다. 진각(震脚)#1이라고 표현해도 될 정도로 힘차게, 기세를 죽이지 않고 검을 옆으로 휘둘렀다.

검이 고블린을 벴다. 피할 여유도 없는 속도로 검날이 몸에 들어가나 싶더니 단번에 마물을 양단하는 광경이 보였다.

"대단해……"

유노가 칭찬했다. 옆에 있는 리엘도 놀랐는지 「오오」 하고 작게 중얼거리는 게 들렸다.

노움과 계약하며 공격력도 상당히 향상된 모양이었다. 그리고 지금 동작은…… 중급 기술 중 하나와 비슷했다. 그 기술을 체득하려는 건가?

아무튼 성장하고 있는 건 확실한가……. 소피아는 태세를 가다듬고 이어서 달려드는 고블린과 맞서 싸웠다.

"소피아 씨에게만 맡기면 안 되지."

길버트가 앞을 막아섰다. 캐룬도 소피아를 뛰어넘어 전투태세에 들어갔다.

먼저 길버트와 고블린이 맞부딪쳤다. 둘은 금속이 부딪쳐 숲과 어울리지 않는 소리를 연주하며 힘겨루기에 들어갔다.

거기에 캐룬이 지원에 나섰다. 재빠르게 측면으로 돌아가 고블린의 옆구리를 단검으로 벴다. 태세가 크게 무너진 고블린을 향해 길버트가 위에서 검을 내리쳤다.

머리로 제대로 들어간 그의 공격— 양단까지는 안 됐지만, 그래도 격파하기 충분한 피해를 주는 데 성공했다. 고블린은

#1 진각(震脚) 힘차게 땅을 밟아 생기는 힘으로, 상대를 공격할 때 땅을 밟는 행위.

몸을 크게 한 번 움찔하고 사라졌다.

"……소피아 씨, 어떻게 그렇게 깨끗하게 벴어?"

"아뇨, 그, 저도 좀 놀라서……."

소피아가 검을 바라봤다. 본인도 놀라운 결과인가 보다.

"후위가 나설 기회도 없었네."

내 말에 전위 세 사람이 나를 봤다.

"저 고블린을 여유롭게 처리했으니까 안쪽에서도 충분히 할 수 있을 거야. 가자."

다시 이동하며 나는 활을 들고 생각했다. ……지금은 일단 동료들의 능력을 확인하는 게 좋겠다. 보스는 제법 강하다. 정보 부족으로 누가 다치는 일은 피하고 싶었다.

그러는 사이에 새로운 마물이 나타났다. 똑같은 고블린이었으나 아까와 달리 경계하며 거리를 두고 상황을 살폈다. 그렇다면—.

"내가 공격할게."

내 말에 소피아와 길버트가 활 사정거리에 들어가지 않게 옆으로 피했다. 바로 오른손에 마력을 집중했고, 리본에서 뜨거움을 느끼지 않고 빛 화살을 만드는 데 성공했다.

활을 쓸 때는 실제로 존재하는 화살을 쓸지, 마력을 이용한 마법 화살을 쓸지 고를 수 있었다. 게임에서는 활로도 무한하게 공격할 수 있어서 후자가 메인이었다. 나도 그런 타입이었다.

시위를 당기고 목표를 겨냥해 쐈다. 본래 화살 궤도는 일직선이다. 당연히 도중에 방향을 바꾸는 건 불가능하지만……

활 기술 중 하나인 『애로우 오퍼레이션』을 쓰면 화살을 쏘고도 궤도를 바꿀 수 있었다.

게임에서는 적을 향해 날아가는 유도탄이었으나 현실이 된 지금은 내가 조작해야 했다. 하지만 가만히 있는 고블린이라면 간단했다.

마물이 화살을 보고 피했지만, 나는 화살을 조작해 머리에 한 발 맞췄다. 위력이 충분했는지 화살은 머리를 관통했고, 고블린은 깔끔하게 사라졌다.

"역시 루온 님입니다."

소피아가 칭찬했다. 캐룬도 눈을 휘둥그레 뜨고 내 능력에 놀라워했다.

일단은 순조로운데…… 아니, 스텔라의 속도가 빨라졌다.

아무래도 마물과 한 번 마주치고 나서 이후에는 맞서지 않고 피할 것을 선택한 모양이었다. 스텔라는 혼자라 그렇게 판단하는 게 이상하지 않았다. 그렇다면 우리도…… 그리고 싶었으나 소피아 일행이 마물을 발견하고 무기를 겨눴다. 적이 눈앞에 나타난 이상, 무시할 수 없었다.

스텔라도 보스까지는 아직 거리가 있으니 괜찮겠지. 소피아 일행을 성장시키고도 싶고…… 어느 정도 가까워지면 행동에 옮기자.

그렇게 결론을 내리고 적을 관찰했다. 또 고블린이었지만, 이번에는 다섯 마리였다.

"분담하자."

내가 말하자마자 고블린이 달려들었다. 고블린들은 머릿수를 믿고 돌격했지만, 우리는 냉정했다.

나는 먼저 바닥에 화살을 쏘며 견제했다. 그러자 고블린의 돌격 속도가 느려졌고, 그 틈을 파고들어 소피아가 접근해 하급 기술인『연속 베기』를 썼다.

아까처럼 깔끔하게 결판이 나지는 않았지만, 공격을 받은 선두의 적이 쉰 목소리로 비명을 질렀다.

그러나 안쪽에서 두 마리째, 세 마리째가 달려들었다. 그것들은 캐룬과 길버트가 커버했다. 길버트는 앞에서 치고받았고 캐룬은 조금 달랐다.

"에잇!"

양손에 든 단검을 화려하게 휘둘렀다. 공격 속도가 상당해서 고블린을 완전히 갖고 놀았다. 단검 하급 기술인『천응연격(天鷹連擊)』이었다. 단검으로 연속해서 베는 연격 기술로, 캐룬은 익숙한지 막힘없이 공격했다.

그러나 고블린도 가만히 있지 않았다. 피해를 각오하고 앞으로 나와 억지로 단검을 막았다. 금속이 교차하고 단검과 장검이 잠시 맞섰다.

"끈질기네."

하지만 캐룬은 당황하지 않았다. 얼른 검을 피하듯이 몸을 낮춰 태세를 가다듬고 공격하는 고블린의 검을 확인하고 품으로 미끄러져 들어갔다. 그리고 마무리로 가슴을 찔러 격파했다.

이때, 소피아는 두 마리째와 접전을 벌였다. 리엘이 땅 속성 하급 마법인 『스톤 블라스트』로 지원해 돌팔매가 총알처럼 날아가 다른 고블린을 맞췄다. 그 공격으로 고블린이 소멸하지는 않았지만, 겁먹은 틈에 캐룬이 단검을 내리쳐 쓰러뜨렸다.

지금 캐룬이 쓴 것은 『소닉 스매시』였다. 단검 하급 기술로, 통상 공격보다 위력이 높았다. 리엘과의 연계도 딱 맞았다. 소피아도 고블린을 격파했다.

남은 한 마리를 길버트가 쓰러뜨렸고, 모두 다치지 않고 고블린을 전멸시키는 데 성공했다.

음, 이 정도 숫자에도 제대로 대응했다. 나쁘지 않았다. 이 대로 경험치를 벌고 내가 지원하면 보스를 상대해도 다치지 않을지도 모르겠다.

"그럼 앞으로—."

"자, 잠깐만. 조금만 쉬자."

내가 호령하기 직전, 길버트가 말했다. 숨이 거칠었다.

그러자 캐룬이 양손을 허리에 얹고 입을 열었다.

"칠칠맞지 못하네, 길."

"너한테 그런 말을 들을 줄이야……. 캐룬은 나랑 기량이 비슷한 줄 알았는데."

"적어도 체력은 너보다 낫네. 아니면 길은 쓸데없는 움직임이 많아서 금방 지치나?"

캐룬의 지적에 길버트가 쓴웃음을 지었다. 나는 그런 그에게 말했다.

"길, 아무리 그래도 여기서 쉬는 건 무리야."

"……알았어."

그가 숨을 고르며 대답하자 소피아가 누가 말한 것도 아닌데 선두에서 걸었다. 나는 주위를 관찰하며 조금 전의 전투를 돌이켜봤다.

특히 캐룬…… 게임과의 차이를 새로 분석해봤다. 큰 차이는 두 개 정도—.

"뭔가 알아차렸어?"

주머니에 있는 유노가 물었다. 근처에 리엘이 있어서 대답해야 하나 망설이는데…… 갑자기 그의 걸음이 빨라지더니 나를 지나쳤고, 생각에 잠긴 시늉을 했다.

저 상태라면 작게 말하면 안 들리려나.

"……게임에서는 단발 기술과 연격 기술 중에 연격 기술이 통합적으로 위력이 높았어."

"현실에서는 달라?"

"단순히 위력만으로는 비교할 수 없어. 예를 들어 게임에서의 연격 기술은 일단 시작하면 마지막까지 이어지는데 캐룬의 공격은 도중에 멈췄어. 다치지 않으려면 단발 기술을 중심으로 전술을 세우는 게 낫겠어."

연격은 틈이 생기니 지극히 당연한 이야기일지도 모르겠다. ……그리고 더 중요한 것이 있었다.

"그리고 밀어붙이는 게 어려울지도 모르겠어."

"밀어붙이기?"

"모험가는 기본적으로 마력 장벽으로 방어해. 캐룬도 그렇고, 이건 대륙의 상식이라고 해도 과언이 아니야. 다만, 장벽 강도는 사용자의 상태 등에 따라 좌우되고, 마물도 같은 종이어도 능력에 차이가 있어."

"그 차이에 따라 다칠 수도 있다는 거구나."

"맞아. 즉, 다치고 싶지 않으면 장벽을 강화하기보다 피하는 게 효율적이라는 말이야."

그러면 캐룬 같은 회피 중시 동료가 더 강한가……? 아니, 그렇게 생각하기는 이른가?

"그런데 그렇게 되면 게임의 『삼강(三強)』은 어떻게 되는 걸까?"

"삼강?"

유노가 고개를 갸웃거렸다. 지금까지는 필요하지 않아서 말하지 않았다.

"음, 게임에는 동료가 되는 캐릭터가 많은데, 그중 특히 강한 동료를 『삼강』이라고 불렀어. 게임에서는 밀어붙이기가 통했으니까 그 특성에 적합한 동료라고 할까?"

즉, 스테이터스보다 게임 시스템의 우대를 받은 틀을 벗어난 힘을 가진 동료다. 하지만 현실에서는 어떨지 모르겠다. 예를 들어 그중 한 사람은 반칙 수준의 연격 기술을 갖고 있어서 선택된 건데 캐룬의 전투를 참고하면 그 기술을 쓰는 게 오히려 리스크가 될 수 있었다.

나는 터무니없는 스테이터스 때문에 현실에서도 억지로 강행할 수 있지만, 다른 인물은 그럴 수 없겠지. 이 점은 꼼꼼하게 고려해서 지휘해야겠다.

"……윽!"

그때, 사역마의 보고가 날아와 놀라서 무심코 소리를 냈다.

스텔라가 마물에게 공격당했고, 게다가 어떻게 대응할지 고려하고 있었다.

"음?"

그때, 리엘이 중얼거렸다.

"소리가…… 들렸는데, 지금."

"소리?"

소피아가 되묻고 고개를 돌리며 귀에 손을 댔다.

"마물입니까?"

"아니, 사람이야. 내 기분 탓일 수도 있지만."

"……혹시 사람이라면 마물과 싸우고 있을지도 몰라."

나는 마침 잘됐다 생각하며 이때다, 싶어 말했다.

"길을 좀 서두르자."

걷는 속도를 올렸다. 이대로 스텔라가 있는 곳까지 가자…….
그렇게 생각하자마자 사역마에게서 다시 보고가 들어왔다.

"……어?"

스텔라를 노린 마물이 무엇인지 판명돼서 다시금 놀랐다.

칠흑색 털을 가진 늑대. 여기까지는 평범하지만, 문제는 그게 다가 아니었다. 녀석의 털이 흐릿하게 녹색으로 빛났다.
……처음 보는 마물이었다.

아니, 게임에 등장하지 않았다고 해야 하나. 순간, 그런 마물도 있겠다고 머리로는 이해했지만, 그것은 스텔라에게 달라붙어 그녀가 도망치려고 해도 집요하게 공격했다. 이 부분에 위화감을 느꼈다.

장기에 침식된 마물이라 흉포하다고 해도 이렇게 개인에게 집착하는 마물은 거의 없었다. ……어떻게 된 일이지?

의문이 머릿속을 채우는데 싸우는 소리가 들렸다. 소피아가 즉각 달려 나갔고, 나를 포함한 다른 사람들도 달렸다.

그리고— 드디어 맨눈으로 스텔라를 포착했다.

"제가—!"

소피아가 외쳤다. 동시에 나는 활시위를 당겼다. 마물의 실력이 어느 정도인지 몰랐다. 만약 소피아가 궁지에 빠지면 바로 구한다!

스텔라가 우리를 알아차리고 당황했다. 숏컷 흑발이 특징이고 오른쪽 눈 아래에 눈물점이 있었다. 무기는 장검. 바지는 발까지 감싼 형태에 갑옷은 입지 않았다. 캐룬처럼 회피를 우선한 장비였다.

그녀와 교대하듯이 소피아가 마물과 대치했다. 소피아의 공격이 적의 머리에 제대로 먹혔고 마물은 거의 저항도 없이 양단되어 사라졌다. 마물 자체는 그렇게 강하지 않았던 모양이었다.

"고마워, 덕분에 살았어."

스텔라가 이마의 땀을 훔치며 감사를 표했다.

"거리를 벌리려고 했는데 생각보다 끈질겨서."

"혼자입니까?"

소피아가 검을 검집에 넣으며 물었다.

"이 숲은 마물의 영향을 받아서 위험해요."

"아, 그게 어쩌다 보니……."

모호한 말투. 보물 사냥꾼으로서 천사의 유적을 조사하러 왔습니다, 라고는 말하고 싶지 않은 건가?

그때, 다른 사역마에게서 보고가 들어왔다. 알트가 동료 한 명을 데리고 이쪽으로 오고 있었다.

"……마침 트인 곳이 있네. 잠깐 쉬자."

나는 주변에 나무가 없는 곳을 가리키며 말했다.

"장기가 더 진해졌어. 원인으로 생각되는 마물이 근처에 있을 거야. 이참에 체력을 회복하자."

"찬성."

길버트가 제일 먼저 손을 들었다. 캐룬과 리엘도 찬성해서 일단 쉬기로 했다.

소피아와 캐룬이 쉬면서 스텔라와 대화를 나눴다. 자기들이 왜 왔는지 설명하자 스텔라도 마음을 열었다.

"천사의 유적의 소문을 들어서…… 그런데 숲의 정보는 별로 모으지 않았어."

"마왕이 침공 중입니다. 좀 더 경계해야 하지 않을까요?"

"응, 그러게."

소피아의 지적에 스텔라가 아하하, 하고 웃었다. 장기에 둘러싸인 숲이지만, 이곳만 분위기가 평화로웠다. 이제 곧 보스와 싸워야 하니 기분전환으로는 괜찮겠지.

여자들이 이야기로 꽃을 피우는 동안, 스텔라의 오빠인 게임 주인공 알트가 드디어 근처까지 왔다. 이대로 합류해서 보스와 싸우자.

다만, 알트와 스텔라가 내 지시에 따라줄지는 모르겠다. 그리고 무턱대고 동료를 늘리면 주의력이 산만해진다. 만약 앞으로 누군가를 동료로 받을 거면 인원수를 잘 생각해야겠다.

앉아있는 길버트와 주의 깊게 주변을 둘러보는 리엘이 눈에 들어왔을 때— 바스락거리는 소리가 들렸다. 그에 반응해 전원이 즉각 무기를 들었다.

모두가 숲을 주시하던 중, 드디어 그 인물이 나타났다.

"선객인가."

스텔라와는 다른, 아주 밝은 밤색 머리카락을 가진 남자— 바로 주인공 중 하나인 알트였다. 외모는 스포츠맨 계열로 남자가 「멋지다」고 생각할 타입이었다.

무기는 장식 하나 없는 단순한 대검으로, 오른팔로 아주 쉽게 들었다. 방어구는 흰색 흉갑. 그렇게 두껍지는 않고 다갈색 중심의 옷을 입었다.

다른 사람은 파란 신관복을 입고 철제 지팡이를 든 남자로, 눈꼬리가 처진 눈에 부드러운 외모가 알트와 정반대의 인상을 줬다. 그는 『신성 마법』을 쓸 수 있는 신관, 이그노스 알반으로, 알트는 이벤트를 겪고 그와 동료가 됐다.

"그쪽도 천사의 유적 때문에 왔어?"

내가 물었다. 알트는 고개를 끄덕이려다가— 스텔라가 있는 것을 알아봤다.

"아, 스텔라……!"

"으악!"

스텔라가 허둥지둥 소피아 뒤로 숨었지만, 이미 늦었다.

"저기, 아는 사이십니까?"

"동생이야."

소피아가 스텔라에게 묻자 알트가 대답했다.

"당신들은 동료야?"

"아뇨, 이 분이 홀로 마물과 싸우고 계셔서……."

"너, 혼자서는 위험하니까 나한테 말하거나 동료랑 같이 가라고 말했잖아?!"

알트가 다그쳤다. 스텔라는 소피아의 그늘에 숨어 나오지 않았다.

흠, 싸우면 안 되는데……. 나는 중재하고자 알트에게 말을 걸었다.

"잠깐 괜찮아?"

"응, 그쪽이 파티 리더인가?"

"일단은 그런 역할이야. 이름은 루온 마딘."

"알트 문레이트. 이쪽 신관은 이그노스 알반. 저기 있는 건 동생 스텔라."

알트가 머리를 긁적였다.

"스텔라가 마물에게 공격당하는데 구해준 거 맞지?"

"맞아."

"감사를 표하지. 고마워."

시원스러운 말투— 그러다 갑자기 스텔라를 공격한 마물이 신경 쓰였다.

오로지 그녀만을 노리던 거동…… 무슨 목적으로 스텔라를 공격한 거지? 혹시 그녀가 보스와 만나면 죽는다는 것을 알고 마물을 이용해 막으려 한 존재가 있나? 그렇다면—.

잠시 머리를 굴리는데 유노가 알트의 앞으로 날아가 발랄한 목소리를 높였다.

"에이 뭐, 힘들 때는 피차일반이지."

"……천사?"

"맞아. 나는 천사 유노."

"별난 파티네……. 그쪽은 왜 이 숲에 온 거야?"

나는 질문에 생각을 끊고 대답했다.

"마물 퇴치. 장기의 원인을 찾고 있는데…… 거의 다 온 것 같아."

"그럼 우리도 협력하지."

"그래."

합류를 허락한 우리는 휴식을 마치고 다 같이 숲 안쪽으로 들어갔다. 조금만 더 가면 보스다.

이곳에는 『키메라 플랜트』와 같은 고정형 마물이 있었다. 스텔라가 게임에서 잡아먹혔듯이 인간을 통째로 집어삼키는 짜증나는 능력이 있었다.

사람도 많고, 어떻게 할까…… 그렇게 생각하는 동안, 숲이 끊기고 짙은 안개가 깔린 꽃밭이 나타났다.

그 한가운데에 식물 계열 마물— 게임에서 『이블 플라워』라고 불리는 보스가 있었다.

"저게 원흉인 것 같군요."

소피아가 즉각 검을 뽑았다. 이름대로 생김새는 거대한 꽃이었다. 줄기가 이상할 정도로 두껍고 피가 연상되는 붉은 꽃잎이 우리를 향했다. 그 가운데에 쩍 하니 구멍이 나 있고 안에서 녹색 촉수 같은 덩굴이 꿈틀거렸다. 게임에서 스텔라는 저 공간에 집어 삼켜졌다.

마물 주변에는 기분 나쁜 보라색 뿌리가 솟아 지면에 맞닿은 상태로 뻗어 있었고, 그것들은 아름답게 핀 풀꽃을 침식해 시들게 했다.

게임에서는 뿌리에도 HP가 있고 갑자기 땅에서 솟아나 채찍처럼 공격했다. 그리고 전투 필드를 점점 침식하고, 재생 능력도 있었다.

"어떡해?"

길버트가 물었다. ……지식을 이용하면 대처할 수 있다. 다만, 너무 정확하면 의심할 위험이 있었다. 그렇다고 적당히 하면 누가 꽃에 먹힐지 몰랐다. 얼른 구하면 괜찮겠지만, 그런 사태에 빠지는 것은 피하고 싶었다.

그렇다면— 우선 겉모습으로 알 수 있는 정보를 제시했다.

"우선 본체를 가장 주의해야 해. 꽃송이 가운데로 촉수처럼 나와 있는 덩굴이 인간을 잡아끌고 갈 수도 있어."

"먹히는 건 싫은데……."

유노가 무서워, 무서워, 라고 중얼거렸다. 자기가 먹히는 걸 상상했는지 몸을 부들 떨었다.

"그리고 기분 나쁜 보라색 뿌리 같은 거…… 이걸 무시하고 돌격하는 건 위험해. 일단 뿌리를 처리하자."

"마법을 쓸 차례군."

리엘이 마물을 노려보며 말했다.

"식물 계열 마물이니까 불 속성이 약점인가."

"아마도. 리엘은 쓸 수 있어?"

"문제없어."

"이그노스 씨는요?"

"저도 쓸 수 있습니다."

그가 정중하게 대답했다. 좋아, 그럼—.

계획을 제시하기 직전, 캐룬이 갑자기 왼손을 들었다. 야, 설마—!

"대지여— 가랏!"

땅 속성 하급 마법 『스톤 블라스트』였다. 돌팔매가 본체를 향해 날아갔다. 그러자 갑자기 뿌리가 지면에서 떨어져 나와 방패가 됐다.

마법은 대부분 뿌리에 막혔다. 총알 같은 공격에 뿌리가 갈기갈기 파괴됐지만 관통하지는 못했다. 몇 개는 방어를 피해

본체를 맞추기도 했지만, 꿈쩍도 하지 않았다.

　게임에서는 마법 내성이 꽤 높았다. 제작자는 원거리전이
아니라 근거리전을 하고 싶었던 거겠지. 현실에서도 특성은
같은 것 같았다.

　흠, 여러모로 정보를 얻기는 했지만…… 못은 박아두자.

　"어이, 캐룬. 마음대로 움직이지 마."

　"으……, 미안."

　"앞으로 주의해줘. ……뭐, 정보는 얻었으니 됐다 치자."

　"정보, 요?"

　소피아가 보스와 나를 번갈아 보며 물었다.

　"뿌리가 방패처럼 움직인 것 말씀입니까?"

　"그것도 있고…… 본체에 마법이 거의 통하지 않아. 즉, 마
법 내성이 높아. 하지만 뿌리는 캐룬의 마법으로 크게 손상됐
으니까 뿌리는 내성이 없어."

　"과연, 그렇군요."

　"나도 눈치채지 못했어. 대단한데?"

　소피아의 말에 이어 알트가 감탄했다.

　"그렇게까지 생각할 수 있으니까 리더인 거지. 그럼 어떡하
면 돼?"

　……역시 그런 역할인가. 이야기가 빨라서 좋지, 뭐.

　"마법은 잘 안 통하니까 접근전이 최선이야. 그런데 뿌리가
방해해서…… 리엘, 이그노스 씨, 두 사람은 주위에 있는 뿌
리를 불태워줘."

"주위요?"

이그노스의 물음에 나는 고개를 끄덕이며 활을 없앴다.

"본체 쪽에 있는 건 내가 맡을게. 다른 멤버들은 접근해서 공격…… 아니, 한 사람은 리엘과 이그노스 씨를 호위해야겠군."

그 인물은— 스텔라를 바라봤다. 이벤트는 일어나지 않았지만, 만약을 위해서다.

"스텔라 씨, 해줄래?"

"좋아."

"그리고 유노는 대기해."

"네~. 힘내!"

유노가 가볍게 말하고 스텔라의 어깨에 내려섰다.

"좋아, 해볼까?"

알트가 대검을 들었다. 여기 있는 사람 중 가장 위압감이 있었다.

동료들이 공격을 맡아서 제대로 뒷받침할 수 있겠다. 나라면 보스를 일격에 쓰러뜨릴 수 있지만, 마족이 볼 수도 있는 상황이었다. 힘을 노출하지 않도록 신중하게 가자.

나는 마법으로 장검을 새로 만들고, 왼손에 마력을 모으며 외쳤다.

"간다!"

공격 개시. 나는 먼저 『플레임 니들』을 쏘았다.

조금 변형해서 바늘이 아니라 화살 크기였다. 본체로 가는데 방해가 되는 뿌리를 향해 쐈다.

뿌리에 불꽃이 박히고 화륵! 하고 단번에 불타올라 순식간에 재가 됐다. 코를 찌르는 자극적인 냄새가 피어올랐고……그 사이로 소피아와 알트가 내달렸다.

나는 그 뒤에 자리 잡았고 캐룬과 길버트가 뒤따랐다. 불길로 본체까지 길이 열렸고 방해 없이— 아니, 옆에서 뿌리가 꿈틀거리며 달려들었다.

"그렇게는 안 되지!"

캐룬이 외치고 커버했다. 이어서 길버트도 대응했다. 두 사람의 공격은 뿌리를 단단히 붙잡고 잘게 썰었다.

거기에 리엘과 이그노스의 마법이 날아와 뿌리를 불태웠다. 이것이 바로 많은 인원의 장점— 인해전술로 단번에 본체로 다가가 단기결전에 들어갔다!

소피아가 노도와 같은 공세로 본체로 접근해 첫 공격을 했다. 검날에서 불길이 치솟았다. 하급 마도기인 『화염 베기』였다. 마법에 내성이 있어도 평범한 공격보다 위력이 세다고 생각했으리라.

그 판단은 정답이었다. 공격한 순간, 줄기에서 찢어지는 듯한 소리가 들렸다. 검이 박히고 화염이 뿜어져 올라 꽃잎을 태웠다.

견디지 못한 이블 플라워는 거대한 구멍에서 덩굴을 뻗어 그대로 소피아를 집어삼키려 했으나— 그렇게 하게 둘까 보냐!!

"소피아!"

나는 소피아의 이름을 부르며 『플레임 니들』을 쏘았다. 주변에 있던 뿌리와 그녀에게 달려들려던 덩굴을 불살랐다.

알트가 마물에게 바싹 다가붙었다.

"으랴아!"

기합과 함께 대검 하급 기술 『참공검(斬空劍)』을 썼다. 아래에서 위로 쳐올리는 공격으로 살짝 충격파가 생기는 단발 기술이었다.

그것은 훌륭할 만큼 수직으로 마물의 몸통에 들어갔다. 줄기가 찢기는 소리에 피해를 줬다고 확신했다.

이어서 길버트와 캐룬이 덤볐다. 그들의 공격은 소피아와 알트에 비하면 위력은 떨어지지만, 그래도 확실하게 줄기를 베어냈다.

완벽하게 압도했다. 주변 뿌리는 나를 포함한 다른 동료들이 빈틈없이 대처해서 이블 플라워는 소피아 일행을 막을 방법이 없었다.

마물의 본체는 맹공으로 점점 상처투성이가 됐다. 소피아가 다시 『화염 베기』를 쓰자 알트가 그녀에게 지지 않겠다는 듯이 호쾌한 가로 베기를 먹였다.

나는 이대로 몰아붙이면 죽일 수 있다고 확신하고 외쳤다.

"이대로 몰아붙여!"

내 말에 호응하듯이 소피아와 알트가 더욱더 맹렬하게 공격했다. 소피아가 세로 베기를 날리자 알트가 지지 않겠다며 대각선으로 공격했다.

마치 경쟁하는 것 같았다. 그런데도 타이밍은 완벽했다. 소피아가 알트에게 맞춰서 행동하기 때문에 기술 면에 있어서는 소피아가 한 수 위였다.

길버트와 캐룬은 둘 사이에 끼어들 수 없어서 한가해졌다. 하지만 곧 자기가 할 일을 찾아 주위에 재생하기 시작한 뿌리를 노렸다.

이대로라면 이길 수 있다. 그래서 다시 밀어붙이라고 지시하려는데—.

"윽—?!"

등줄기에 오한이 일었다. 뭔가, 기척을 느꼈다.

한발 늦게 짙은 장기임을 깨달았다. 그것은 우리 옆을 지나 스텔라 일행 쪽으로 향했다.

누구를 노리는가. 나는 의문을 품으며 서둘러 뒤를 돌았고 — 리엘과 눈이 마주쳤다.

"적이야, 피해!"

나는 그렇게 외치면서 달렸다. 등 너머로 이블 플라워의 마력이 사라지는 것을 느끼며 다시 검을 만들었다.

신체 강화를 전력으로 쓰면 바로 닿을 거리— 하지만 쓰지 못했다. 아니, 쓰지 않았다고 해야 하나. 왜냐하면 상대는—.

리엘이 부름에 반응하는 것과 동시에 그 옆에 장기의 주인이 나타났다. 은색, 아니 회색 머리카락에 검고 불길한 갑옷. 어깨에는 늑대가 입을 벌리고 포효하는 모습을 본뜬 기분 나쁜 것을 달았다.

날카로운 눈초리에 탁한 검은 눈…… 마족이다!

그제야 리엘을 노리는 것을 알았으나 이미 늦었다고 생각한 순간, 스텔라가 마족의 등을 찌르려고 했다.

"이 자식!"

"이거 참—."

성가시다는 분위기를 자아내며 마족은 핏기 없는 창백한 팔로 아무렇게나 막았다. 스텔라의 검은 단단한 금속에 부딪힌 것처럼 튕겨 나갔고 마족은 수도(手刀)로 반격했다.

내가 전속력으로 달려가는 동안, 스텔라는 계속 마족의 공격을 피했다. 그러나 이내 마족의 수도가 그녀의 팔에 닿았다. 살짝 피가 났으나 표정을 보니 피해가 크지는 않은 것 같았다.

난 그제야 간신히 도착했나. 검을 세로로 휘두르지 마족이 준비 동작도 없이 갑자기 사라졌다.

"단거리 전이……?!"

근처에 있던 유노가 경악했다.

주위를 둘러보자 마족이 나와 소피아 일행과 거리를 두고 꽃을 밟고 서 있었다.

이블 플라워는 시들어 작아졌고 뿌리도 사라졌다. 게다가 안개가 걷혔다. 원래 안개가 짙은 숲이라 완전히 사라지지는 않았지만, 장기가 적어진 것은 분명했다.

"마족이야."

유노의 말에 나는 고개를 끄덕이고 동료들에게 말했다.

"모두, 한시도 긴장을 늦추지 마."

보스와 싸웠던 사람들은…… 알트가 선두에 서서 검을 들고 소피아를 포함한 다른 세 사람은 커버할 태세였다. 소피아는 다른 사람과 반응이 조금 달랐다. 마족을 응시하며 다른 사람들보다 두려워하는 게 느껴졌다.

내 주변에 있는 리엘과 이그노스, 그리고 유노는 무사했다. 유일하게 스텔라가 다쳤지만, 치유 마법으로 상처를 막았다.

한편, 마족은 움직이지 않았다. 단거리 전이를 해도 이상하지 않은 상황인데 그러지 않는 것은 무언가 결점이 있어서 기습으로밖에 쓰지 못하는 걸까, 아니면 다른 이유가 있는 걸까……. 어쨌든 공격하려는 기색은 보이지 않았다.

"이런, 이곳의 마물은 열심히 키운 건데."

마족이 탄식했다. 그제야 나는 그가 누군지 알아차렸다.

"갑작스러운 등장이군. 이름 정도는 말해주겠지?"

알트가 물었다. 그러자 상대가 정중하게 허리를 숙이고 자기소개를 했다.

"나는 마왕군 간부 중 하나인 셀다트다. 앞으로 잘 부탁해. ……너희는 두 번 다시 만나고 싶지 않겠지만 말이다."

……그의 말에는 가시가 있었고, 우리를 위압하는 분위기였다.

그리고 나는 그의 이름을 듣고 다시 확신했다. 이 녀석은 소피아의 나라인 발크스 왕국을 습격한 마족이었다. 소피아의 태도가 다른 동료와 다른 것은 지극히 당연한 일이었다.

가장 큰 문제는 왕녀라는 사실이 들켰는지 아닌지인데…… 그의 태도를 보니 알아본 것 같지는 않았다. 아티팩트의 효과

덕분인가?

만약 알아봤다면 여기서 쓰러뜨려야 하나……. 하지만 그렇게 되면 시나리오가 무너질 테고, 당연히 내 능력을 알게 될 것이다.

게임에서는 고위 마족이 죽기 직전, 그 짧은 시간에 다른 마족에게 정보를 넘긴 케이스가 있었다. 고위 마족의 힘을 가진 셸다트라면 그럴 수 있으므로 위험이 컸다. 그리고 부하 악마나 마족이 주위에 있을 수도 있으니 역시 실력을 드러내기는 위험한가…….

"흠, 기습은 결국 실패했고 마물도 당했군. 지금은 너희에게 주는 상으로 얌전히 물러나도록 하지."

"그냥 둬도 괜찮겠어? 언젠가 너를 죽일지도 모른다고?"

알트가 도발했다. 자극하는 건 좀…… 이라고 생각했는데 셸다트가 웃었다.

"일단 그러는 이유가 있어. ……그나저나 정말 성가신 능력이야. 게다가 나를 쓰러뜨릴 수단도 있는 것 같군."

무슨 말이지? 의문이 머릿속을 헤집는데, 셸다트가 일방적으로 말했다.

"일단 보고해두지. 그 능력은 너희에게는 금기의 힘이다. 만약 그걸로 우리에게 간섭한다면 그에 걸맞은 태도를 보여주마."

여전히 의미불명이었으나 누구에게 하는 말인지는 알겠다. 셸다트가 노린 리엘이었다. 그 말은 그가 무언가를 하고 있다는 건가?

"그럼 마음껏 즐기시길."

그의 모습이 사라졌다. 사역마로 셸다트가 멀어지는 것을 확인하고…… 나는 숨을 내쉬었다.

"물러난 모양이야."

"역시 마족이군."

알트가 천천히 몸에서 힘을 뺐다.

"대치만 하는데도 압박이 상당했어."

"그러게요."

소피아가 말을 흐렸다. 아직 긴장이 풀리지 않았나 보다. 그럴 만도 한가…… 성을 공격한 당사자와 마주쳤으니까.

"아마 리엘 씨를 노린 걸 거야."

유노가 언급하자 당사자인 리엘이 몸을 움찔했다.

"저 마족이 처음으로 노렸고 무슨 말인지는 모르겠지만, 리엘 씨는 엄청 긴장했었어."

유노도 내 추측과 같은 견해였다. 그의 태도를 보고 확신했나?

"말해줄래?"

"……미안해. 조금만 시간을 주겠어?"

리엘이 요구했다. 무슨 사정인지 모르는 우리에게는 수락 외의 선택지가 없었다.

하지만 한 가지 확인하고 싶었다.

"리엘, 저 마족이 적잖이 경계했어. 그럴만한 무언가를 갖고 있어?"

"아마 이거 때문일 거야."

리엘이 품에서 무언가를 꺼냈다. 그것은 보라색으로 빛나는 돌— 마력이 깃든 마석이었다.

"이 녀석에게는 마물과 마족이 알 만한 특수한 힘이 봉인되어 있어. 저 마족은 내 능력과 이 마석의 힘을 느끼고 정면으로 공격하면 반격당할 줄 알았을 거야."

"실제로는 어떤데?"

"허세야. 나는 여러 사정이 있어서 강력한 마법은 쓰지 못해."

리엘이 어깨를 으쓱했다. 그 이상은 아무 말도 하지 않았다.

이대로 있어 봤자 해결되는 게 없으니 화제를 바꾸기로 했다. 마을로 돌아가자고 동료들에게 말하려는데— 갑자기 스텔라가 다리에 힘이 풀려 쓰러졌다.

"어?! 스텔라?!"

알트의 외침에 모두가 이변을 알아차렸다. 캐룬이 잽싸게 다가가 몸을 부축했다.

"뭐야, 왜 그래?!"

"모르겠어……. 갑자기 몸이 무거워."

"마족한테 공격당해서 그런 거 아니야?"

유노의 말에 모두가 서로의 얼굴을 마주 봤다.

"설마, 독……?"

알트가 중얼거리는 것과 동시에 스텔라의 몸에서 힘이 빠져 쓰러질 뻔했다. 캐룬과 뒤늦게 다가온 소피아가 도와 그녀를 천천히 눕혔다. 호흡이 거칠었다. 위험한데…….

"해독 마법이 있지만, 통할지 모르겠네요."

이그노스가 난감한 얼굴로 말했다. 게임에서는 독에 당했을 경우, 마법을 쓰면 간단하게 치료됐다. 하지만 현실은 녹록지 않았다.

게임에 있던 마법도 현실에서는 지극히 일반적인 것이었다. 독성이 세거나 특수한 독이면 전용 마법이 필요했다.

해독하더라도 독을 어느 정도 분석해야 했다. ……나는 유노에게 말했다.

"유노, 마력과 관련된 독이라면 어떤 독인지 알아볼 수 있어?"

"할 수 있어."

유노가 대답하며 스텔라의 어깨에 앉았다.

"음, 장기를 이용한 독 같아."

"그럼 평범한 해독 마법은 못 쓰겠군."

"어떡해?"

나는 행동으로 대답했다. ─우선 수납함을 소환했다.

"그건……?!"

알트가 경악하는 동안, 나는 수납함에서 작은 병에 든 약을 꺼내 그에게 건넸다.

"스텔라에게 먹여줘."

"약인가?"

"응. 유노의 말에 의하면 몸에 장기를 주입해서 이상을 일으키는 독이야. 막으려면 우선 장기를 제거해야 해."

약은 수행 시절에 만든 것 중 하나였다. 게임에서는 스테이터스 하락 계열의 마법을 무효화하는 약인데, 현실에서는 몸 속에 들어간 장기를 없애는 효과가 있었다.

알트가 「미안해」라고 사과하며 스텔라에게 약을 먹였다.

결과는— 긴장하면서 계속 살펴보니 거친 숨이 점차 가라 앉았다.

"루온 씨, 나은 건가?"

"효과가 있는 것 같지만 응급처치일 뿐이야. 바로 가까운 마을로 가서 의사에게 보여야 해."

"알았어. 바로 가지."

알트가 고개를 끄덕이고 스텔라를 업었다.

"내가 안내하지."

리엘의 말에 알트가 「부탁해」 하고 걸음을 뗐다.

이벤트 자체는 스텔라가 죽지 않고 끝났으니 성공이라고 할 수 있었다. 마족이 습격하기는 했지만 아티팩트 덕분에 소피 아의 정체가 들키지 않은 것도 다행이었다.

걸음을 옮기며 소피아를 봤다. 움츠리고 무언가를 생각하 는 것 같았다. 갑작스러운 조우에 충격이 사라지지 않은 모습 이었다.

조금 큰 마을로 가서 숙소를 잡고 스텔라를 의사에게 보였 다. 응급처치가 효과가 있어서 상태가 악화하지는 않은 모양 이었다.

"하지만 만약을 위해 한동안 안정이 필요하네."

의사는 그렇게 진찰하고 숙소를 떠났다. 내가 있는 곳은 작은 3인실로, 누워있는 스텔라 외에 알트와 소피아와 유노가 있었다. 참고로 다른 동료들은 스텔라의 상태를 들은 후 방을 나갔다.

"루온 씨, 다시 감사를 표할게."

알트가 입을 열었다.

"당신이 도와주지 않았다면 죽었을지도 몰라. 정말로 고마워."

"당연한 일을 했을 뿐이야."

"그래……. 무슨 일 있으면 힘이 되어줄게."

동생을 구해줬다— 그렇게 말하는 게 당연한가. 나는 「생각해둘게」라고 대답해 대화를 끝내고 방을 나왔다. 유노가 따라왔다.

"루온, 고민이 깊은 것 같아 보여."

"……비극 자체는 막았지만, 마지막에 실수했어."

"그건 어쩔 수 없었잖아……."

유노가 위로했지만, 나는 고개를 가로저었다.

"가령 힘을 제한했어도 그 타이밍이라면 어떻게든 했을 거야."

"하지만 스텔라 씨는 살았어. 루온이 있어서 목숨을 구했어."

"손 놓고 기뻐할 상황은 아니지만 말이지……."

그리고 원인은, 리엘…… 그곳에 그가 있었기에 마족이 공격했다.

"잠깐 리엘과 이야기를 나눠볼까."

방으로 향하는데 소피아가 복도로 나왔다. 먼저 그녀에게 말을 걸었다.

"소피아."

"……루온 님."

그녀의 표정이 몹시 심각했다.

"마족과 관련해 하고 싶은 말이 있습니다."

자세히 보니 소피아의 양손이 가늘게 떨리고 있었다.

"제 나라를 습격한 마족……이었습니다. 문제, 없을까요?"

"소피아를 알아본 것 같지는 않았어. 내가 준 반지의 효과가 발휘됐을 거야."

실제로 사역마로 셀다트를 관찰하고 있지만, 우리에게 마물을 보내거나 그러지는 않았다.

"효과가 제대로 발휘되고 있어. 소피아와 접한 마족을 속였으니 마력을 위장하는 도구는 새로운 문제가 생기지 않는 한 찾을 필요 없겠어."

"그렇다면 다행입니다만……."

"그런데 소피아, 괜찮아?"

내 물음에 소피아가 갑자기 놀랐다.

"아, 아뇨, 그─."

"손이 떨리잖아. 무리는─."

"괘, 괜찮습니다!"

소피아가 스스로를 독려하듯이 격하게 말했다. 무슨 말을 해줘야 한다는 생각이 들었지만…… 태도가 완고해서 일단

물러났다.

"알았어. 혹시 무슨 일 있으면 말해."

"네. 저는 잠깐 바깥 공기를 쐬고 오겠습니다."

그녀는 내 옆을 지나 밖으로 나갔다. 그 모습을 지켜보는데 유노가 입을 열었다.

"무리하고 있어."

"나라를 습격한 마족과 맞섰잖아. 동요할 만해. 유노, 위로 좀 부탁해."

"레핀이 있어서 괜찮겠지만, 알았어."

유노는 힘차게 날아갔다. 나는 내 방으로 돌아왔다.

리엘은 의자에 앉아 책을 읽고 있었다. 뭔가 말을 걸려는데, 그가 먼저 말을 꺼냈다.

"하고 싶은 말이 있는 모양이군."

"말해줄 것 같지 않은데?"

"……때가 오면 말하지."

그뿐이었다. 나는 하는 수 없이 대화를 끊고 침대에 앉았다.

그는 길버트에게 하급 마법을 쓸 수 있게 하는 아이템을 썼고 캐룬을 동료로 들였다. 안개가 짙은 숲으로 갈 의지를 보였고 마족이 경계할 만한 무언가를 소지했다.

설마 나와 같은 전생자……? 그렇게도 생각했지만, 이해할 수 없는 점도 있었다.

"리엘, 어떤 상황이 되면 말해줄 거야?"

"미안, 그건…… 루온 씨 쪽에 달렸어."

우리 쪽에 달렸다? 나는 되물으려고 했지만, 리엘은 더 이상 말하고 싶지 않은지 눈을 피했다.

수상하지만, 마족이 그를 노렸다. 우리와 이해관계가 충돌하는 사태가 일어날 가능성은 작을 것 같지만…… 헤어진 뒤에도 사역마로 동향을 관찰해야겠군.

"그래. 다만, 마석은 신중하게 다뤄. 허세인 걸 들키면 너무 위험해."

"알아."

대화가 끊겼다. 나는 어떡할까 망설였지만, 리엘은 더 이상 문답할 마음이 없는지 다시 책을 읽기 시작했다.

필요 이상으로 말하고 싶지 않은가? 무엇을 하는지는 모르겠으나 노움의 왕의 요구도 있으니 적잖이 주의하자.

나는 생각을 바꿔 다시 전투를 떠올렸다. 스텔라를 구하긴 했지만, 마족의 출현 등으로 생각지 못한 결과가 나왔다. 언젠가 다가올 다른 비극적 이벤트 때에는 이런 일이 없도록 생각을 해놓자. ……나는 그렇게 결론을 내리고 쉬기로 했다.

그리고— 여기서부터 전쟁은 큰 전환점을 맞이한다.

다음 날 아침. 나와 소피아, 유노는 마족 일도 있었으니 기분전환도 겸해서 거리를 산책했다.

"앞으로 어떻게 할까요?"

잠시 뒤, 소피아가 물었다.

"스텔라 씨 일행과 함께 싸우는 것도 한 선택지라고 생각합니다만…… 어떻게 하든 알트 씨와 리엘 씨는 헤어지겠죠."

"그렇겠지."

나는 리엘이 신경 쓰였다. ……어떡해야 하나 고민하는데
이변을 깨달았다.

거리 안쪽, 마을 입구에서 술렁이는 소리가 들렸다.

"뭐지?"

유노가 흥미를 보이며 중얼거렸다. 나도 이상하다 생각하며
길을 주시했다.

이윽고 앞에서 철컹철컹 하고 금속 소리가 들리기 시작했다.

"무슨 일이 생긴 걸까요?"

소피아가 눈썹을 찌푸렸다. 잠시 기다리니 병사와 말을 탄
기사가 보였다.

인원이 많았다. 이건 마치―.

"행군이군."

"그렇네요."

"뭔가 어마어마한데?"

줄줄이 한마디씩 하는 사이, 기사들이 마을 안을 지나갔다.

그 모습을 보던 우리는 이내 이 광경이 어떤 의미를 가지는
지 깨달았다.

이건…… 설마―.

"아무래도, 시작된 모양이네."

노점 준비를 하던 아줌마의 중얼거림이 들렸다. 소피아가
제일 먼저 반응했다.

"시작됐다니요?"

"이 나라 영토 안에 마족이 성을 지었다고 하더라고. ……아직은 피해가 없지만, 그 마족을 쓰러뜨리려고 토벌군을 결성했대. 저기 가는 기사님들은 소집된 거겠지."

나는 묵묵히 나아가는 한 무리를 바라봤다. 어림잡아 1백 명 정도의 부대로, 창을 든 일반병사가 대부분이었다. 당연히 이 부대가 전부는 아닐 것이다. 주둔지로 가는 거겠지.

아줌마의 말이 맞았다. 이 행군은 로베일 왕국이 게임 내에 일으키는 큰 사건과 관련이 있었다.

그것은 바로 5대 마족의 한 축인 레드라스와의 전쟁이었다.

게임에서 5대 마족을 쓰러뜨리는 순서는 자유지만, 특정 이벤트가 일어나지 않으면 싸우지 못한다는 점은 동일했다. 그것은 현실이 된 지금도 같을 터였다.

왜냐하면 그들은 마왕의 지령을 우선하고 숨어서 활동하기 때문이었다. 시나리오 초반에는 마왕이 쓸 대륙 붕괴 마법 『라스트 어비스』 준비로 대지에 마력을 주입하는 데에 집중했다. 하지만 그 이후에는 이벤트로 모습을 드러낸다. 이유는 다양하지만, 레드라스의 경우는 로베일 왕국이 움직인 보복 때문이었다.

『라스트 어비스』를 막으려면 주인공 중 어느 한 명이 5대 마족을 전부 쓰러뜨리고 현자의 힘을 가져야 했다. 즉, 그들과의 전투는 피할 수 없었다.

"이길까요?"

소피아가 행군을 보며 말했다. 나는 심각한 표정으로 대답했다.

"승산이 있으니까 싸우는 거라고 믿고 싶어."

―이 이벤트로 인간 쪽은 레드라스의 성에 쳐들어가 선전하지만, 레드라스는 쓰러뜨리지 못하고 퇴각한다. 그 후, 마족 쪽은 마물을 사방에 퍼뜨려 반격하고 로베일 왕국은 대규모 소란에 휩싸인다.

마물은 레드라스를 쓰러뜨릴 때까지 나라를 어지럽힌다. 그 결과, 북부에서 오는 마물의 침공을 막는 군을 제외하고 혼란에 빠지게 된다. 게임에서는 그런 와중에 주인공이 성에 들어가 레드라스를 쓰러뜨린다.

이 나라에 있는 주인공은 알트뿐…… 그럼 그가 마왕을 무찌르는 인물인가?

아무튼 그를 이 전투에 참여시켜야 했다. 하지만 스텔라가 잠든 상황인데 가능할까? 우선 그것부터 확인해야겠다.

숙소로 돌아가 스텔라의 상태를 보기 위해 방으로 들어가니 다른 동료들이 심각한 얼굴로 이야기 중이었다.

맨 먼저 리엘이 우리에게 말했다.

"아, 루온 씨. 마침 잘 왔어."

"행군 이야기야?"

"맞아. 대규모 전쟁이 일어날 거야. 이 마을이 전장이 될지는 모르지만, 크든 작든 영향을 받겠지."

"리엘 씨는 싸워야 한다고 주장해."

알트가 보충하듯이 말했다.

"희생이 적도록 온 힘을 다하고 싶다는군. 나도 뭔가 돕고자 해. 평범한 모험가가 얼마나 이바지할지는 모르겠지만 말이지."

아니, 당신은 게임에서 마왕도 쓰러뜨려…… 라고 말하고 싶어졌다.

"전쟁 말인데, 계획이 있어."

이번에는 리엘이 이야기했다.

"그런데 한 가지 문제가 있어. 이 계획을 실행할 경우, 나 자신이 무방비해져. 그러니까 호위가 필요해."

문득 소피아를 봤다. 묵묵히 고개를 끄덕이는 소피아. 그것으로 우리의 방침은 정해졌다.

"나와 소피아는 함께 할게."

내가 확답하자 알트가 놀라워했다.

"엄청 쉽게 정하는군. ……괜찮겠어?"

"응. 우리는 마족과 싸우려고 여행하는 거야. 지금으로서는 얼마나 힘이 될지 모르겠지만, 할 수 있는 만큼 해볼게."

내 말에 알트가 반응했다. 할 마음이 생긴 모양이었다.

"그렇군……. 이그노스는 어때?"

"해야죠."

"그럼 우리도 동행하지. 걱정되는 건 스텔라인데……."

"혹시 괜찮다면 내가 돌볼까?"

길버트가 손을 들고 말했다.

"숲에서 싸워보고 수행이 부족하다는 걸 통감했어. 솔직히 나는 발목만 잡을 거야."

"억지로 싸우라는 건 아니야."

그의 말에 내가 입을 열었다.

"마족과의 전쟁이야. 살아남을 거라는 보장도 없어. ……자기 실력을 파악하고 물러나는 것도 중요해. 혹시 망설이고 있다면 가지 않는 편이 좋다고 생각해."

"그럼 나도 빠져도 돼?"

길버트에 이어 캐룬이 말했다.

"이유는 길과 같아. 지원 정도밖에 못 하니까."

"그럼 스텔라를 간호해주길 바라."

알트가 캐룬에게 의뢰했다.

"전쟁이 끝날 때까지 얼마나 걸릴지는 모르지만, 계속 있어 달라고는 않겠어. 하지만 적어도 몸 상태가 회복할 때까지만이라도 부탁해."

"당연하지. 같이 싸운 동료잖아."

캐룬이 밝게 대답했다.

"숲에 혼자 들어갈 정도로 활발한 사람이니까 내가 같이 있는 게 좋을 거야."

"나도 있다고. 무리시키지 않을 거야."

캐룬에 이어 길버트가 흔쾌히 승낙하자 알트가 「고마워」라고 감사를 표했다.

"전투가 끝나면 스텔라를 데리러 올게."

"맡겨줘. 만약 마물의 습격으로 숙소를 떠나게 되면…… 어디로 갔는지 알 수 있게 해놓을게."

"응, 미안해."

모두 어떻게 할지 정했다. 리엘이 이야기를 정리했다.

"정보를 모으며 진행해야겠군. 오늘 하루는 컨디션을 최고로 끌어올려줘."

회의가 끝났다. 나는 스텔라를 간호하는 소피아와 캐룬을 두고 방을 나왔다. 나를 제외한 남자들은 앞으로의 일을 상담하고자 다른 장소로 이동했다.

"루온, 묻고 싶은 게 있는데―."

유일하게 유노가 나와 함께 복도에 있었다.

"이 사건, 게임에 있어?"

"응. 5대 마족인 레드라스와 싸우는 이벤트가 분명해."

"드디어 시작된 건가……."

내가 묵묵히 수긍하자 유노가 다시 물었다.

"우선, 지금 동료들로 이길 수 있어?"

"……5대 마족의 힘은 시나리오 진행 정도에 따라 달라. 그건 이유가 있는데, 녀석들의 목적은 대지에 마력을 주입해 마왕이 쓸 『라스트 어비스』의 기초를 만드는 거야. 시나리오 초반에는 그 작업에 집중하느라 마력이 대폭 줄어있거든."

"대지에 힘을 쏟은 만큼 약화된 거구나."

"맞아. 라틀라스 숲에서 있었던 전투를 보면 나는 충분히 승산이 있다고 생각해."

"알았어. 그럼 전쟁의 흐름을 가르쳐줘."

나는 게임의 흐름을 기억에서 끄집어냈다.

"로베일 왕국의 군은 심복을 쓰러뜨리기도 하지만, 레드라스에게는 맞서지 못해. 녀석에게는 현자의 힘을 이용한 마력 장벽이 있어."

"현자의 힘은 대지에 마력을 주입하려고 이용하는 거 아니었어?"

"그 외에도 활용할 수 있다는 거야. 레드라스는 절대적인 인간용 결계를 구축할 수 있어. 지금으로써는 현자의 힘을 각성시키지 않은 알트와 소피아도 대항하지 못해."

"루온도?"

"시험해 본 적이 없어서 모르겠지만, 아마 그럴 거야. 하지만 그 장벽에는 명확한 약점이 있어."

나는 팔짱을 끼며 이야기를 계속했다.

"레드라스가 구축한 장벽은 튼튼한 만큼 제약이 있어서 한 번 사용하면 열흘 정도 쓰지 못해. 그래서 레드라스는 토벌군이 퇴각한 뒤, 다시 오지 못하도록 국내를 혼란하게 만들어."

"마력 장벽을 다시 구축할 수 있을 때까지 시간을 버는 거구나. ……다른 5대 마족도 그렇게 현자의 힘을 이용해?"

"다른 마족이라…… 예를 들어 서부에 자리 잡은 구디스는 그 힘을 이용해 마물 발생원을 대량으로 만드는 실험을 해. 그것을 계기로 주인공들이 가서 무찌르지."

"그렇구나. ……이번에는 우리가 먼저 가서 쓰러뜨릴 수 없다는 거네."

"맞아. 레드라스는 토벌군이 패배한 뒤가 아니면 쓰러뜨리지 못해. 사실은 군이 퇴각하자마자 바로 가면 피해가 적겠지만, 그럴 경우에는 이 나라를 공격할 대량의 마물과 맞서야 해. 노린다면 마물이 퍼지고 나서…… 게임과 같은 상황이 된 다음을 노려야 해."

"루온이 본 실력을 내면…… 위험할까?"

"전력을 발휘하면 당연히 내 이름이 마족과 마왕에게 알려지겠지. 그러면 분명히 시나리오 붕괴로 이어질 거야. 최악의 경우에는 5대 마족이 경계하며 움직이지 않을 수도 있어. ……지금 단계에 무대 위로 오르는 건 피하고 싶어."

적어도 마족을 순식간에 죽이는 힘은 숨겨야겠다.

"주목해야 할 부분은 알트가 현자의 힘을 얻느냐 마냐, 네."

유노의 지적에 나는 수긍했다.

"그래. 게임 상황이 재현될까……."

"어떻게 힘을 손에 넣어?"

"5대 마족을 쓰러뜨리면 빛이 남아. 그게 바로 마족이 갖고 있던 현자의 힘이고, 그걸 몸 안으로 거두면 힘을 얻게 돼."

"있잖아, 혹시 소피아가 거두면 어떡해? 현자의 핏줄이니까 불가능한 일은 아니잖아?"

"소피아의 행동은 내가 제어할 수 있어. 그리고 만약 그렇게 되더라도 상황을 알기 쉬워지니 나쁜 이야기는 아닌데……."

소피아는 게임 주인공이 아니기 때문에 그렇게 되면 게임과 완전히 달라지니까……. 그리고 이 패턴이 되더라도 소피아의 정체는 숨겨야 했다.

"결과를 보고 생각하자."

"좋아. 루온은 어떻게 싸울 거야?"

"소피아와 알트가 전위, 리엘과 이그노스가 후위…… 전투 상황에 따라 대응해야겠지."

"이번에도 루온이 지휘할까?"

"라틀라스 숲에서 내가 리더였으니까…… 아마 알트와 리엘도 그렇게 생각할 거야."

이 점은 그렇게 될 수밖에 없지 않을까.

"알았어. 아, 루온. 그리고 하나만 더."

"뭔데?"

"동료들에게 만약의 일이 일어나면 어떡해?"

그 질문에 나는 즉시 대답했다.

"전력으로 싸울 거야."

"그럼 그렇게 되지 않게 나도 도울게."

"부탁해."

유노가 웃었다. 왠지 든든함을 느끼며 대화가 끝났다.

여행 일정은 이 나라의 지리를 어느 정도 파악하고 있는 리엘이 짰고, 다음 날부터는 그 일정에 따라 이동하기 시작했다.

이 시점에서 주인공 중 한 명인 오르디아에게 큰 변화가 생겼다. 드디어 마왕을 배신한 것이다. 그리고 우리가 있는 로베일 왕국으로 향했다.

레드라스와 싸우기 위해 이 나라로 오는 건가? 게임에서는 마왕을 배신한 뒤에는 한 마을에서 잠시 잠복하는데…… 나와 소피아가 간섭해서 바뀌었나?

그가 어떻게 움직이든 내가 할 일은 하나다. 동료를 희생하지 않고 레드라스와의 전투를 끝내는 것.

"전쟁이 일어나기 전에 도착하기는 어려우려나……."

알트가 길을 걸으며 말했다.

"그런데 나라가 마족과 싸우려는데 이 주변은 평화롭네."

그가 밭에서 일하는 농민들을 본체만체하며 말하자 소피아가 입을 열었다.

"영향이 없다는 것은 마족 쪽에서 크게 접근하지 않았다는 것을 의미하니 좋은 것일 수도 있습니다."

"아, 듣고 보니 그러네. 아직 이 나라는 정복되지 않았으니까."

"다음 마을에서 정보를 더 모으자."

갑자기 선도하던 리엘이 말했다.

—레드라스 이벤트가 시작된 이후, 그의 태도가 눈에 띄게 딱딱해졌다. 왜 그런지 이유를 생각하다 보니, 이 전투가 상당히 중요하다고 생각하는 데다 무언가를 알기 때문은 아닌가 의심하고 말았다.

결말을 알기 때문에 망설임 없이 앞으로 나아가는 것이 아닐까……. 다만, 그는 나 같은 힘이 없는 것 같았다. 어떤 능력이 있는 것 같긴 하지만, 단순한 힘과는 조금 다른 느낌이었다.

"일단 바람도 부드럽고 마물의 기척은 없어."

레핀이 소피아의 옆에 나타나 말했다. 그녀와 로쿠토에게도 유노를 통해 레드라스에 관해 설명했다.

정령과 동료의 능력…… 전력을 분석해봤다. 인원수는 다섯. 게임에서는 전투에 참여할 수 있는 인원수가 최대 네 명이었으나 현실 세계에는 한계가 있을 리 없으니 인원이 많을수록 유리할 수도 있겠다.

마물 레벨은 5대 마족의 힘에 따른다. 이것은 약해진 레드라스의 영향으로 마물의 질도 떨어졌기 때문이었다. 즉, 적의 종류로 레드라스의 힘을 확인할 수 있었다.

그 마물에 관해서는 요 며칠 사역마 등을 이용해 조사해서 동료들로도 대응할 수 있는 수준임을 알았다. 게다가 성으로 가면서 레벨 업 할 수 있으니 레드라스와 맞설 힘을 얻을 수 있을 것이다.

걱정이 하나 있다면 기술과 마법인가……. 게임에서는 드디어 중급 기술을 배울 시기에 접어들었다. 소피아는 레핀이 도우면 상급 기술을 쓸 수 있지만, 그건 예외로 둬야 했다. 그리고 레드라스는 바람 속성 기술과 마법을 사용해 내성이 있었다. 노움과 계약하기도 했으니 다른 기술과 마법을 습득하길 바랐다.

그리고 알트가 중요한 역할을 맡게 될 것 같았다. 나를 제외하면 대검을 든 그야말로 직접 공격에 있어서 최고의 화력을 자랑했다.

알트가 선두에 서고 나와 소피아는 임기응변으로 대응, 후위에는 이그노스와 리엘…… 이렇게 포진하는 게 최선이겠군.

나도 훈련을 계속하며 중급 마법 몇 개를 쓸 수 있게 됐다. 이것도 고려해서 전술을 세우자.

"……이러면 가는 길에 군이 패배하고 퇴각한 걸 알게 될 거야."

나는 아무도 듣지 못할 정도로 속삭였다. 게임에서는 군이 퇴각한 뒤, 마을에서 정보를 사서 레드라스의 성으로 향하게 된다. 만약 리엘이 정보를 갖고 있다면 군이 패배해 마물이 퍼지면 바로 레드라스의 성으로 갈 것이다.

그의 계획이 무엇인지 신경 쓰이지만…… 본인이 말하고 싶어 하지 않으니 기다리는 수밖에 없나.

그 밖에 해야 할 일은― 아, 하나가 생각났다.

"참, 소피아."

"아, 네."

소피아가 다가왔다.

"왜 그러십니까?"

"오늘 밤에 검 좀 빌려줄래?"

"검이요?"

"응. 성을 지을 수 있는 마족인 만큼 힘도 지금까지의 적과 다를 거야. 우리도 할 수 있는 걸 해두자."

"무엇을요?"

"검을 강화시킬 거야. 사용자의 마력량이 적으면 검의 힘을 따라가지 못해서 오히려 위력이 떨어지기도 하지만…… 지금의 소피아라면 문제없어."

현재 소피아의 검은 정은(精銀)의 검이다. 이 검에 마석을 조금 추가하면 레드라스에게 대항할 정도는 된다. 다만, 함부로 강화하면 이번에는 소피아가 성장하지 않을 우려가 있고, 무엇보다 눈에 띄는 것은 피해야 했다. 균형을 맞추기는 어렵겠지만, 강화는 해야 했다.

"알겠습니다. 부탁드립니다."

"나도 강화해 볼까~?"

알트가 내가 듣도록 일부러 크게 말했다. 그래서 나는 봐주지 않고 현실을 들이댔다.

"소피아의 마력과 전투 방식을 알아서 할 수 있는 작업이야. 그쪽은 그쪽이 알아서 힘내."

"쳇, 치사하네."

연기하는 느낌— 처음부터 기대하지 않았군.

그의 반응에 유노와 이그노스가 웃었다. ……분위기가 나쁘지 않았다. 숲에서 같이 싸워 봤으니 연계도 부드럽게 잘될 것이다.

그러나 리엘의 표정은 바뀌지 않았다. 무언가 무거운 짐을 짊어진 것 같은 분위기에 나는 그가 조금 불안했지만…… 그것을 억누르고 계속 걸었다.

그리고 며칠 뒤— 중요한 정보가 우리의 귀에 들어왔다.

"퇴각했대."

시각은 밤. 리엘이 토벌군은 퇴각했고 마물이 공격하고 있다는 이야기를 듣고 왔다.

그 정보를 바탕으로 우리는 술집에서 둥근 테이블을 에워싸고 회의에 들어갔다.

토벌군이 내쫓겼다니 알트와 소피아의 표정도 굳었다.

"전투에 대비해 더 많은 정보가 있었으면 좋겠군요."

소피아가 제일 먼저 의견을 냈다. 태도를 보니 전의는 상실하지 않았다.

"마족의 이름도 모르니까요. 어떤 마물이 성에서 나오는지 등을 포함해…… 가장 가까운 마을까지 가보는 게 좋을지도 모르겠습니다."

"가까운 마을이라면 퇴각한 병사나 기사가 있을 테니 이야기를 들을 수 있겠군. 나도 찬성이야."

알트가 소피아에 이어 말했다. 이런 분위기면 레드라스의 성 근처에 있는 마을로 가게 될 것이다.

그러나 그때—

"그와 관련해서 한 가지 제안이 있어."

리엘이 천천히 입을 열었다.

"내일, 일어나면 나와 함께 가주지 않겠어?"

"뭐야, 새삼스럽게."

알트가 고개를 갸웃거렸다. 리엘이 그런 그에게 미안한 표정을 지었다.

"당신에게 사과해야 하는 일이 있어."

"나한테? 뭘 당한 기억은 없는데……."

"그것도, 내일 설명하지."

이 자리에서 말할 생각은 없는 듯했다. 그것으로 이야기는 끝났고, 나는 아무 생각 없이 밖으로 나가 밤바람을 쐈다.

"결전이 다가와서 긴장했어?"

유노가 다가왔다. 그 지적에 나는 고개를 가로저었다.

"설마. 유노, 소피아는 어때?"

"어떻냐니?"

"숲에서 마족과 만난 뒤로 상태가 이상하지는 않아?"

"으음…… 변한 건 없는데—."

"그걸로 할 말 있어."

이번에는 레핀이 다가와 불안한 표정으로 말했다.

"이래저래 소피아 나름대로 생각하는 게 있는 것 같아."

"……공포라든가, 불안?"

"응. 소피아는 자기가 정말로 마족과 싸울 수 있을지 늘 불안해하고 있어."

상대가 상대이니만큼 어쩔 수 없는 부분이 있었다.

"만약에 말인데, 지금 심경으로 마왕을 무찌를 존재라는 말을 들으면 위축될지도 몰라……."

"그럼 현자의 힘을 가졌다고 말할 때가 아닌가……."

이 부분에 대해서는 좀 더 위로해주고 싶지만, 무리하지 말라고 말하면 오히려 긴장할 성격이라 지켜봐야 했다.

"나도 소피아에 관해서는 지금까지 이상으로 주의해서 지켜보려고 해. ……유노와 레핀도 부탁해."

"응."

"응, 알았어."

천사와 정령이 잇따라 대답했고— 우리는 내일에 대비해 자기로 했다.

다음 날, 옅게 안개가 낄 정도의 시간대에 일어났다. 리엘의 안내를 받으며 들른 곳은 마을 밖의 숲이었다.

"여기서 멈춰줘."

앞서 걷던 리엘이 숲 앞에서 우리를 막았다. 발을 멈추자 동시에 기척이 느껴졌다.

"우선, 말하지 않은 데에는 이유가 있어. ……아니, 레드라스와의 전투에 함께해주지 않으면 말하지 않으려고 했어."

"레드라스?"

"우리가 무찌르려는 마족의 이름이야."

알트의 의문에 리엘이 명료하게 대답했다. 역시— 이름을 알고 있었다.

"그리고 알트 씨에게는 어제 사과해야 한다고 말했지. 이게 그 이유야."

그 직후, 숲에서 바스락거리는 소리가 들렸고…… 곧이어 늑대형 마물이 나타났다. 잠깐, 어?

"이건……."

소피아가 말을 잃었다. 알트와 이그노스는 일단 경계태세를 보였으나 전의가 없음을 알아차리고 움직임을 멈췄다.

"걱정하지 마. 이건 내가 만든 마물이야."

만들었다, 라…… 처음에는 나와 같은 사역마라고 생각했는데 그의 이야기가 이어졌다.

"이런 마물은 레드라스의 성 근처에도 있어. 집결해서 공격하는 것 외에도 이들을 투입해 마족의 동향을 관찰할 수도 있어. 수는 약 50."

내가 사방에 날린 사역마처럼 수를 늘리려면 한 마리마다 능력에 제한을 걸어야 했다. 왜냐하면 인간이 의식적으로 제어할 수 있는 수에는 한계가 있었다. 이 점은 마력량과 상관없이 누구도 제약에서 도망칠 수 없었다.

나는 사역마에게 전투 능력을 주지 않고 수를 늘렸다. 전투 능력이 있으면 집중력이 필요해지고, 제어에 실패하면 폭주해서 위험했다. 따라서 싸우지 않는다는 전제로 운용했다.

하지만 리엘은 그것을 아무렇지도 않게 해냈다……. 내 사역마와 근본적으로 방식이 달랐다.

"나는…… 사정이 있어서 마족의 성에서 마물을 만드는 기술이 적힌 자료를 입수했어. 그걸로 부대를 이룰 만큼의 마물을 만드는 데 성공했고."

"그, 그게 사실이야……?"

알트가 경악하며 묻자 리엘이 고개를 깊이 끄덕였다.

"사과해야 하는 건 스텔라 씨의 일이야. 안개가 짙은 숲에서 그녀를 발견하고 안쪽으로 가지 못하게 일부러 마물을 풀었어."

그녀를 집요하게 노린 마물은 리엘이 한 거였구나.

"즉, 그녀에게 폐를 끼친 게 돼."

"그런 거였군……. 하지만 그 마물이 있는 곳으로 가지 못하게 막은 거잖아? 강제적이긴 하지만, 잘 한 거 아니야?"

"그 마물은 위험했으니까요."

소피아도 찬동하듯이 의견을 꺼냈다.

"즉, 리엘 씨는 그 숲의 주인의 위험성을 파악했다는 거네."

"맞아……. 스텔라 씨가 혼자서 덤볐으면 잡아먹혔을 거야."

확신이 따르는 말……. 게임 상황을 상기하는 걸까, 아니면—.

내가 묻기 전에 알트가 먼저 물었다.

"어떻게 단정할 수 있어?"

"지금부터가 본론이야. 나는 과거에 스텔라 씨가 잡아먹히는 광경을 봤어. 그래서 막은 거야."

"뭐……? 봤다고? 그게 무슨 소리야?"

알트의 반응에 리엘이 자기 가슴에 손을 대고 입을 열었다.

"믿지 못하겠지만…… 나는 시간을 되돌리는 마법을 쓸 수 있어. 그 마법으로 이 마왕과의 전쟁을 수차례 경험했어."

—전생이 아니라, 타임루프라고?!

예상치 못한 말에 모두가 리엘을 응시했다. 그 와중에 그는 말을 계속했다.

"내 진짜 이름은 리차르야. 이 세계에는 본래의 내가 있고…… 즉, 리엘이라는 나는 변칙적인 존재야."

"……가명을 쓰는 건 이 세계에 있는 본래의 리차르 씨에게 피해가 가지 않도록 하기 위해서인가."

내 중얼거림과 비슷한 말에 리엘이 수긍했다.

"그 말대로야. 하지만 나는 리엘이라고 불러줘. 리차르라는 이름은 버린 지 오래야."

"자, 잠깐만!"

머리가 혼란스러운지 알트가 당황하며 소리를 높였다.

"너무 놀라서 뭐가 뭔지 모르겠는데, 시간을 되돌린다는 게 무슨 말이야?"

"마물을 만드는 자료와 별개로 시간을 되돌리는 마법과 관련된 서적을 손에 넣었어. 그것을 해석하고 사용했더니 시간을 되돌릴 수 있게 됐어."

그 말에 소피아가 긴장한 표정으로 물었다.

"즉, 그만큼 이 전쟁은—."

"그래. 알아차린 대로 인간 쪽이 패배해. 나는 이번이 다섯 번째 도전이야."

다섯 번째— 즉, 시간을 네 번 되감은 건가.

"지금까지 마물에 관해 말하지 않은 것은 레드라스에게 도전하는…… 마족과 싸울 의지가 있는 사람에게만 말해야겠다고 생각해서야."

"마족에 가담하는 사람도 있으니까요."

소피아의 말에 리엘이 괴로운 표정을 지었다.

"처음으로 시간을 되돌리고 높은 사람에게 마왕이 습격할 거라고 알렸지만, 듣지도 않았어. 그뿐만 아니라 마족에게 붙은 귀족에게 목숨을 위협받는 형편이 됐지…… 그래서 신뢰할 수 있는 사람에게만 사정을 말하기로 정했어."

실패한 경험이 있어서 숨겼구나. 반대로 말하면 우리는 그만큼 신뢰받고 있다는 뜻이었다.

"그리고 숲에서 만난 마족…… 그 녀석의 경고는 내 마물을 만드는 능력을 알고 있다고 말하고 싶었던 거겠지. 하지만 다른 비밀…… 시간을 되돌리는 마법은 들키지 않은 것 같아. 이걸 들켰으면 두말할 것 없이 죽였을 거야."

그 말이 맞았다. 리엘이 이렇게까지 방치되는 이유는, 능력은 위협적이지만 달리 침공해야 하는 나라가 있어서 우선순위가 내려갔기 때문이라고 추측됐다. 하지만 미래를 아는 것을 들키면 십중팔구 당장 노려질 것이다.

또는…… 마왕도 리엘의 정보를 유효하게 활용할 수 있었다. 붙잡아서 정보를 빼앗을 가능성도 부정할 수 없었다.

"그 마법에 대해 이것저것 묻고 싶은데—."

그때, 유노가 질문을 던졌다.

"예를 들어서 레드라스와의 전쟁에서 지면 다시 시간을 되돌리면 되잖아?"

"제약이 있어. 늘 쓸 수 있는 게 아니라 내가 처음으로 마법을 쓴 시기가 되지 않으면 되돌리지 못해."

"그게 언제야?"

"지금부터 약 1년 뒤야. 그리고 이 마법으로 되돌릴 수 있는 시간의 한계도 있어. ……처음에 인간이 패배하고 한창 혼란스러울 때 나는 서적을 얻었고, 간신히 몸을 숨기고 연구했어. 그리고 마법을 발동시켰더니 마왕이 습격하기 직전까지는 되돌릴 수 있었어."

"그렇구나……. 그럼 우리도 같이 되돌리지는 못해? 사람이 늘면 대처하기도 쉬울 거야."

"아쉽게도 타인을 끌어들이지는 못해."

리엘이 유노를 보며 어깨를 으쓱했다.

"다음 질문은 예상이 되네. 나 이외의 다른 사람도 시간을 되돌리는 마법을 쓸 수 있냐는 거지?"

"응."

"그것도 힘들어. 이 마법은 사용자의 마력의 질에 맞춰 구축해야 해. 나는 내 마력을 자세히 해석해놔서 1년 이내에 마법을 완성했어. 다른 사람에게 똑같이 하더라도 해석에만 몇 년이 걸리니까 불가능해. 이건 아카데미아를 이용해도 똑같아."

"질이라……."

"마법과 기술이 극한에 다다르게 하는 것과는 전혀 다른 요소가 필요해. 만약 다른 사람도 금방 쓸 수 있으면 내가 했을 거야."

리엘의 표정은 자신의 한계를 파악하고 탄식하는 것 같았다.

그때, 갑자기 궁금한 게 생겼다. 리엘이 시간을 되감으면 그 이전의 세계는 어떻게 되는 걸까? 그리고 나는 없었나? 전생

한 내가 있었다면 마왕을 쓰러뜨릴 수 있게 움직였을 것 같은
데······.

"리엘, 나도 질문이 있는데 괜찮아?"

"상관없어."

"시간을 되돌리다가 우리 이름을 들어본 적 있어?"

그는 묵묵히 고개를 가로저었다. 없구나. 그럼 소피아는 시
나리오와 같은 결말을 맞이하고 루온도 똑같이 죽었나?

이래저래 의문이 들지만······ 검증할 수 없으니 지금은 내버
려 둘 수밖에 없나?

"다른 질문은?"

리엘의 말에 나는 또 질문을 던졌다.

"마물을 다루는 기술을 입수한 경위도 같아?"

"조금 달라. 세 번째로 시간을 돌렸을 때, 전황을 조금이라
도 타개하려고 마족의 성에 숨어들었을 때 손에 넣은 거야."

"마족이 마물을 만드는 방법을 그대로 사용했어?"

"응. 그래서 나를 공격한 마족이 금기의 힘이라고 한 거야."

"그 마법을 우리가 쓸 수는 없어?"

편리해 보이는데······ 하지만 리엘의 대답은 역시나 부정이
었다.

"시간을 돌리는 마법과 같은 이유로 무리야. 질을 맞추지 않
으면 마물이 폭주해."

"쓰지 않는 게 나을 것 같네······. 그럼 시간을 되돌리는 것
의 단점은?"

"시간을 반복할 때마다 내가 보유한 마력의 총량이 줄어들어. 마물을 사역하기에는 문제없지만, 강력한 마법은 마석을 이용하지 않으면 쓸 수 없을 정도가 됐어."

"시간을 되돌릴 때마다 다른 무언가로 마력을 대신할 수는 없어?"

"그게 불가능해. 내 몸에 있는 마력밖에 못 써. ……이제 몇 번 되돌릴 수 있을지 몰라."

"그럼 이번에 결판을 내야겠네."

리엘이 무거운 표정으로 고개를 끄덕이고 마물을 봤다.

"그럼 레드라스 이야기를 하지. 놈은 특수한 마력 장벽을 펼쳐서 모든 공격이 통하지 않아. 하지만 토벌군과의 전투로 그 장벽이 없어졌어. 군이 패배한 것은 인간 쪽에게 안 좋은 정보지만, 이건 놈을 타도할 좋은 기회야."

그가 두 주먹에 힘을 줬다.

"레드라스는 앞으로 마물들을 국내에 뿌려서 군을 교란시킬 거야. 그리고 그때, 성이 허술해져. 이때를 노려 돌입하면…… 놈을 단번에 무찌를 수 있어."

마물이 도우면 잘 풀릴지도 모르겠다. 하지만 마족이 경고한 사실이 신경 쓰였다.

"리엘, 마물을 써서 레드라스를 무찌르려는 건 이해했어. 하지만 마족이 경고한 건—"

"만약 사역하는 마물의 수를 파악했다면 그 숲에서 나를 죽였을 거야. 내게 능력은 있지만, 마물을 얼마나 제작했는지까지는 모를 거라고 생각해."

"하지만 다시는 같은 방법을 못 쓸 거야."

"물론 들키는 걸 전제로 했을 때야. 로베일 왕국군이 약해지기 전에 레드라스를 무찌르면 상당한 전력을 확보할 수 있어. ……앞으로 일어날 거대한 전투를 이겨낼 요소가 될 수도 있으니까 나는 움직일 거야."

—그의 말로 한 가지 깨달았다.

국내가 혼란스러우면 혼란스러울수록 로베일 왕국군의 상황이 나빠진다. 레드라스를 쓰러뜨리는 데 시간이 걸리면 그만큼 군이 약해져 마족이 파고들 틈이 생기고, 타국을 돕는 것은 언감생심이었다.

리엘은 그것을 막기 위해 서둘러 움직이고 싶어 했다. 전력 확보는 마왕의 『라스트 어비스』 대책이 아니었다. 그렇다면 생각해 볼 수 있는 건, 5대 마족 중 넷을 쓰러뜨린 뒤에 발생하는 남부에서의 침공 이벤트—.

그가 겪었던 네 번의 전쟁은, 이 남부의 공격으로 패배하지 않았을까?

"위험하다는 건 알아. 도박에 가까운 행동이라는 것도 잘 알아. 하지만 인간이 이기려면 위험을 감수해야 해."

"……미래를 알기 때문에 내린 판단입니까. 알겠습니다."

소피아가 찬성했다. 이어서 알트도 같은 뜻을 보였다.

"좋아, 그런 거라면. 그런데 우리들로 되겠어?"

"라틀라스 숲에서 어느 정도 강한지 알았어. 레드라스가 푼 마물의 질을 보면 충분히 대응할 수 있을 거야."

리엘이 확신을 가지고 말했다.

"그럼, 가자. ……다들, 부탁해."

우리는 레드라스를 무찌르기 위해 마물들과 진격을 개시했다.

제11장 빛

리엘의 마물을 이용해 적을 탐색해서 레드라스가 풀어둔 많은 마물— 특히 무리 지은 마물들을 피하는 데 성공한 우리는 빠르게 레드라스의 성에 접근했다.

그러나 모든 마물을 무시하지는 못해서 여러 차례 전투가 있었다. 하지만 그것도 연계로 어렵지 않게 대처했다. 그런 와중에 나는 되도록 소피아와 알트가 전투를 통해 조금이라도 성장하길 촉구했다.

마주친 적은 양손이 갈고리발톱처럼 날카로운 마른 체형의 악마— 게임에서는 『클로 데몬』으로 불렸다. 능력은 하급 종과 중급 종 사이 정도로 마법은 쓰지 않지만, 공격력을 나름 갖췄다.

하지만 알트와 소피아는 문제없이 대응했다.

"—터져라!"

전투가 시작되자 소피아가 『에어리얼 소드』를 발사했다. 클로 데몬은 발톱으로 공격을 튕겨냈다.

클로 데몬이 방어에 전념해 멈춘 틈을 타고 알트가 거리를 좁혀 대검을 호쾌하게 내리쳤다!

대담한 공격— 대검 하급 기술 『버스터 블레이드』였다. 공격은 통했고 악마가 겁을 집어먹었다.

이어서 소피아가 움직였다. 검에서 마력과 회오리가 생겨났다. 이것은 하급 마도기 『질풍검』이었다.

바람을 동반한 공격이 악마의 배를 가격했고 바람 가르는 소리가 내 귀에도 들렸다. 예전보다 동작도 깔끔하고 마력이 올라 클로 데몬에게 충분한 피해를 주게 됐다.

악마가 반격하려고 하자 이그노스가 커버하듯이 『홀리 샷』을 쏴서 어깨에 맞췄다. 기세가 꺾인 악마는 결정타로 깨끗하게 들어간 알트의 수평 베기를 맞고 사라졌다.

"훌륭해."

그 모습에 유노가 칭찬하는데…… 뒤따라 한 마리가 더 나타났다.

"이번에는 내가—."

마치 경쟁하듯이 나는 마법으로 활을 만들어 악마의 발치에 화살을 쐈다.

클로 데몬은 즉각 경계하며 걸음을 멈췄다. 그러다 화살이 바닥에 꽂히자 다시 전진하려 했으나…… 나는 가차 없이 이어서 『애로우 오퍼레이션』을 쐈다.

목표는 머리. 악마는 피하지 못했고— 이내 머리에 맞았지만, 한 방으로는 죽지 않았다. 소피아와 알트가 공격하도록 겁만 주는 정도로 조절했다.

여기에 밀어붙이듯이 알트가 검을 옆으로 휘둘렀고 소피아가 머리에 크게 한 방 먹였다. 클로 데몬은 소멸했다.

콤비네이션은 양호했고, 나도 두 사람을 제대로 서포트해 냈다.

단, 너무 순조로워서 문제가 생겼다. 지금까지 중급 기술을 습득한 사람이 나 외에는 없었다. 레드라스와 싸우기 전까지 되도록 강력한 기술을 습득했으면 좋겠는데—.

"이제 곧 성 주변에 있는 숲에 도착할 거야."

악마가 사라지자 가장 뒤에 있던 리엘이 말했다.

"성은 지금 허술한 상태야. 이대로 단번에 돌입하자."

"리엘 씨, 마물들을 데리고 레드라스라는 마족이 있는 곳까 지 달리는 거지?"

알트가 묻자 리엘이 「맞아」라고 대답했다.

"그다음부터는 다들 열심히 해줘야 해. 마물만으로 레드라 스를 이기는 건 어려우니까."

"……그러고 보니, 리엘 씨. 이 전투가 끝나면 어떡할 거야? 아무리 그래도 마물들이 다 무사하지는 않을 테고 몸을 지킬 방법이 없잖아?"

그 물음에 리엘이 「걱정하지 마」라고 서두를 뗐다.

"협력자가 있으니까 그 사람이 있는 곳으로 갈 거야. 이번에 는 스텔라 씨를 포함해 이것저것 아는 게 있어서 단독행동 중 이야."

"안전한 곳이야?"

"응."

"다행이다……. 어쨌든 우리는 레드라스라는 놈을 때려눕히면 되는 거네."

알트의 투지가 솟아 넘쳤다. 한편, 소피아는 걸음을 옮기며 검을 휘둘렀다. 불안은 머리 한쪽에 몰아넣은 모양이었다.

"저건……."

갑작스러운 소피아의 중얼거림에 시선을 돌리니 조금 앞쪽 바닥에 불탄 흔적이 있었다.

"전투가 있었던 모양입니다. 근처에 아직 악마가 있을까요?"

"아니, 없어."

리엘이 고개를 저으며 말했다.

"마을을 지키려고 병사들이 싸웠나 보군."

"마을이요?"

"응. 가는 길에 있으니 상황이 어떤지 확인할 수 있을 거야."

우리는 리엘이 가리키는 방향으로 갔다. 이윽고 시야에 비친 것은 길가에 있는 한 마을. 다만—.

"끔찍하군."

알트가 고통스럽게 말했다.

"레드라스라는 마족은 이렇게 작은 마을도 안 봐주는 건가."

가옥 대부분이 파괴됐다. 화재로 무너진 것도 있고 억지로 부서진 것도 있었다.

"마을 사람은 없군. 피난했나?"

"피난한 사람도 있겠지만, 희생자도 많았던 것 같아."

나는 마을 끝자락에 주목했다. 그곳에는 나무로 만든 간소한 묘비가 줄지어 있었다.

"꽤 많아. 희생자가 생존자를 웃돌지도 모르겠어. 레드라스의 성과 가까워서 지원군이 때를 맞추지 못했나 봐."

"이럴 수가……."

소피아가 비통한 목소리를 흘렸다. 다시금 마족의 공격이 어떤 것인지 인식한 듯했다.

알트와 이그노스, 리엘의 표정도 굳었다. 유노도 내 주위를 날며 괴로운 표정을 지었다.

"……레드라스를 쓰러뜨리면 적어도 로베일 왕국에서는 이런 비극이 사라져."

리엘이 날카로운 눈빛으로 마을을 둘러보며 우리에게 말했다.

"그러니까 서둘러야 해. 이제 곧 도착이야. 가자."

나를 포함한 동료들은 걸음을 옮기는 그를 말없이 따랐다. 마을의 참상을 보고— 그리고 결전이 가까워지자 모두 표정을 다잡았다.

드디어 성문 주변 숲에 도착했다. 장기는 안개가 짙은 라틀라스 숲 이상이었다.

사역마로 상황을 확인했다. 몇 가지 신경 쓰이는 점에 관해 보고를 받았다. 그것을 염두에 두고 어떻게 싸울지 궁리했다.

"이거 위험하겠는데……."

숲을 보고 가장 먼저 감상을 말한 것은 얼굴을 찌푸린 알트.

"장기가 장난 아니야."

"모두 지금부터는 레드라스를 쓰러뜨릴 때까지 긴장 풀지 마."

리엘이 동료들에게 말하고 땅을 단단히 밟으며 달리기 시작했다.

나도 그에 이어 움직였다. 모두 말이 없어진 와중에 유노가 작게 물었다.

"긴장했어?"

"……조금. 하지만 불안이 더 커."

리엘이 무척 신경 쓰였다. 마족은 정말로 그의 마물을 알아차리지 못했나? 만약 알고 있다면—.

리엘처럼 나도 사역마로 레드라스의 성과 숲을 감시했지만, 눈에 띄는 변화는 없었다. 주변에 마물이 적고 경비가 허술하다는 것은 아마 사실일 것이다. 그러나— 가슴 술렁임이 사라지지 않았다.

불확정 요소를 품은 채 숲 속을 나아갔다. 장기가 피부에 달라붙어 불쾌했다.

모두의 말수가 단번에 줄어들었다. 유노까지 숲 분위기에 휩쓸렸는지 아니면 동료들의 긴장이 전염됐는지 말없이 내 주머니로 들어갔다.

하지만 그래도 걸음을 멈추지 않았고— 이내 숲을 빠져나왔다.

"저건가……."

알트가 중얼거렸다. 그 너머는 완만한 내리막길— 숲이 고도가 낮은 분지를 둘러싸는 지형이었다.

그 분지 중앙에 목표, 레드라스의 거성인 『전왕전(戰王殿)』

이 있었다. 진청색 외관에 윗부분이 날카롭게 솟아 위압감을 풍겼다. 참고로 전왕(戰王)이란 5대 마족 중에서도 공격에 특화된 능력을 나타내는 레드라스의 이명(異名)이었다.

이 마족은 늦게 쓰러뜨릴수록 전체 공격 기술을 많이 쓰기 때문에, 편하게 이기고 싶다면 게임 중반까지는 처리해야 했다. ……현 단계에서는 전체 공격이 한 종류고 위력이 낮으므로 거의 쓰지 않는다. 만약 쓰더라도 지금 동료들이라면 충분히 대처할 수 있을 것이다.

물론 방심할 수는 없었다. 현실이 된 지금은 우리의 동향에 따라 전술을 바꿀 것이다. 나도 임기응변으로 움직여야 했다.

"드디어……."

알트가 그렇게 말하며 성을 노려보듯이 응시했다. 소피아와 이그노스는 기세가 대단했고 유노는 성을 가만히 바라봤다.

잠시 침묵이 흐른 뒤 리엘을 선두로 걷기 시작했다.

주변에 마물이 없었다. 이렇게까지 경계하지 않으니 오히려 수상한데…… 괜한 허세면 큰일 날걸.

조금씩 성으로 접근하던 그때였다. 갑자기 쿵 하고 묵직한 소리가 메아리치고 성문이 열리기 시작했다. 우리가 오기를 기다린 타이밍이라 모두 걸음을 멈추고 무기를 들었다.

성 안쪽에서 나타난 것은 온몸을 은색 갑옷으로 보호하고 창을 든 기사였다. 얼굴은 풀 페이스 투구 때문에 보이지 않았다.

그 주변에는 클로 데몬이 명령을 받았는지 일사불란한 걸음으로 기사를 따랐다.

『―분명, 셀다트 님이 경고했을 텐데.』

기사가 사람을 불쾌하게 하는 목소리로 말하며 면갑을 올렸다. 그 안에 있는 것은― 해골.

『경고를 무시했나.』

그 말에 리엘이 한 걸음 앞으로 나갔다.

"그래, 맞아. 너는 성의 주인을 따르는…… 간부인가?"

『그렇다. 내 이름은 로자크. 주군 레드라스 님을 지키는 필두기사다.』

순간, 나는 마음속으로 큰일이라고 생각했다. 로자크라는 이름은 게임에 등장하지 않았다. 하지만 어떤 역할이었는지 예상이 됐다. 레드라스 대신 로베일 왕국 토벌군과 싸운 마족일 것이다.

게임에서 이 마족이 어떻게 됐는지는 모르지만…… 한 가지 확실하게 말할 수 있는 게 있었다.

이것은 게임 시나리오와 명백히 다른 전개다.

『마물을 생성하는 능력은 우리에게 위협까지는 안 되어도 방해는 된다. 그래서 셀다트 님이 쓰지 않으면 못 본 척해주겠다고 한 것이다. 그 조언을 헛되게 했나.』

"당연하다."

리엘은 물러나지 않았다. 그의 단언과 함께 숲속에서 마물이 나타났다.

늑대와 고블린, 거기에 스켈레톤까지…… 공통점은 모두 칠흑색이라는 것. 그런 마물이…… 대략 쉰 마리.

『훌륭하다. 인간치고는 잘 했군.』

로자크가 리엘의 마물을 대강 보고 칭찬했다.

『이만한 수를 만들고 유지하다니…… 놀랄 만하다.』

"이쪽도 여러모로 방법을 연구했거든."

『어떻게 기술을 훔쳤는지는 모르나 인간에게는 금기의 힘이다. 반항하면 너를 없애겠다.』

"그럼 해봐."

리엘이 도발하자— 로자크가 창을 들었다.

그 직후, 나는 깨달았다. 이제부터 무엇이 일어날지를—.

『그래, 그렇게 하지.』

로자크가 대답한 다음 순간—.

악마의 포효— 대합창이 주변 숲에서 들려오기 시작했다.

"—아니?!"

리엘은 당황했고 나를 제외한 사람들이 황급히 주위를 살폈다.

『너는 치명적인 실수를 했다.』

해골이라 표정은 조금도 변하지 않았지만, 나는 확신했다.

이 녀석은 지금 희열에 찬 표정을 짓고 있었다.

『너희 인간과 우리 마족, 악마에게는 마력을 지각할 수 있는 능력에 차이가 있다. 너는 마물을 숨길 셈이었겠지만, 악마는 그것이 적인지 아군인지 멀리서 봐도 알 수 있다.』

"……나를 일부러 내버려 뒀다가 여기서 죽일 셈이었나."

리엘이 빠득 이를 갈며 괴로운 표정을 지었다. 나도 당했다는 생각이 들었다. ……사역마로도 찾지 못했다. 이건 이렇게까지 숨은 마족의 승리인가.

『그리고 네가 가진 특수한 마력…… 마석이로군. 셸다트 님은 그것을 경계했지만, 나는 아니다.』

로자크가 면갑을 내리며 말을 이었다.

『마석에서 힘을 한 번 방출하면 다시 쓰지 못한다. 지금 궁지에 처하면 너는 틀림없이 그 비장의 수를 쓰게 되겠지.』

"……희생할 셈인가?"

"나는 방해꾼을 제거하는 방패다. 여기서 죽어도 여한이 없다."

―게임 시나리오와 상황이 크게 달라졌다. 원인은 레드라스와 그 심복이 리엘을 「희생을 치러서라도 없애야 하는 상대」로 인식했기 때문이었다.

다만, 로자크는 시간을 되돌리는 마법에 대해서는 말하지 않았다. 알고 있으면 말할 터였다. 그렇다면 아직 시간이 있었다.

그의 등장으로 시나리오대로 진행되지 않은 것은 사실이다. 하지만 이것을 돌파하면― 5대 마족 레드라스를 격파하면…… 수정할 수 있다.

『네 동료도 놓치지 않겠다. 전원, 레드라스 님의 공물이 되어라.』

로자크가 단언했다. 주변에 있는 악마는 전부 클로 데몬― 숲 속에 마법을 쓰는 마물 정도는 있을 것 같지만, 부대의 주력은 이 녀석이 분명했다.

로자크의 능력은…… 5대 마족과의 전투로 만나는 적은 예외 없이 5대 마족의 능력에 따랐다. 즉, 게임에 근거하면 이 마족은 레드라스보다 약할 것이었다.

나는 호흡을 가다듬었다. 머리로 전술을 짜고 완성했다.

5대 마족이 있는 한, 전력을 낼 수는 없었다. 즉, 힘이 제한된다.

하지만 그게 어쨌다는 거지?

내 힘은 이럴 때 동료를 구하기 위해 있는 거잖아—!!

"소피아, 알트."

나는 오른팔에 마력을 모으며 말했다.

"저 로자크라는 놈을 부탁해. 할 수 있겠어?"

『호오, 해볼 모양이군.』

로자크가 흥미를 보이며 말했지만, 나는 무시했다.

"이그노스는 둘을 지원해줘. 그리고 리엘, 마물이 우리를 에워싸듯이 포진해줘."

"숲에 있는 악마와 맞서 시간을 버는 건가?"

"그래. 마물의 내구성은 어느 정도지? 저 악마에게 얼마나 맞설 수 있어?"

"방어에 전념하면, 그럭저럭……."

"알았어. 유노는 주머니에 있어 줘."

"응."

『절망적인 상황 속에서 어쩔 셈이냐?』

로자크가 창을 어깨에 지고 물었다.

『앙갚음하기 위해 대항할 건가? 저항하지 않으면 편하게 죽여주마.』

나는 대답하지 않고 오른손을 뻗었다.

"내 손에, 마(魔)의 빛을—."

마력이 팽창하며 끝에 푸른 보석이 박힌 철제 지팡이가 나타났다.

『호오?』

의도를 모르겠는지 로자크가 고개를 갸웃거렸다.

『재미있는 마술이군. 그걸로 뭘 할 셈이지?』

"—우리는, 보기 좋게 당했다."

『그렇지.』

"하지만 네 계획을 박살내면 성의 주인 레드라스에게로 갈 수 있어."

『그럴지도 모르지만…… 열세를 어떻게 뒤집으려고?』

그의 물음에 나는 지팡이를 바닥에 내리꽂았다.

"미리 말해두겠는데— 질 생각은 없어."

갑자기 발치에 빛나는 마법진이 나타났다.

『이것은……?』

로자크가 중얼거리자마자 바닥에서 마력이 단번에 부풀어 올랐다. 지팡이 계열 기술은 직접 공격하는 장술 계열과 내가 지금 쓴 것 같은 특정 범위에 어떤 효과를 부여하는 지원 계열 기술이 있다.

나는 지원 기술 중 하나인 『차징 필드』를 사용했다. 중급 기술인 이 기술은 가르크에게 받은 리본으로 마력이 새지 않음을 이미 검증했다.

효과는 아군의 공격력 상승. 로자크도 이해한 모양이었다.

『동료의 힘을 올렸나……. 의미 없는 짓이라는 것을 가르쳐 주마.』

로자크가 그렇게 말하며 공격 자세를 잡았다. 시작된다―.

"온다!"

내 외침과 동시에 로자크와 뒤에 있는 악마들이 진격했다.

"리엘! 달려드는 악마에게 마물을―!"

그는 즉각 따랐다. 기민한 늑대 계열 마물들이 땅을 박차고 돌진했다.

그것들은 클로 데몬들과 정통으로 부딪혔다. 로자크는 리엘의 마물을 은밀히 분석하고 능력을 파악해 승산이 있다고 생각할 터였다.

하지만 그 생각은 틀렸어!

늑대들의 돌진은 내 지원 기술의 영향으로 악마들을 힘차게 날렸다. 로자크가 알아차렸는지 내리치려던 창을 멈칫했다.

알트는 그것을 놓치지 않았다.

"으랴아아앗!"

그는 포효하며 로자크에게 바짝 다가섰다. 이어서 날린 『버스터 블레이드』는 기세도 있고 그야말로 완벽한 공격이었다.

『으윽!』

로자크가 당장 방어를 위해 창을 바꿔 들려고 했다. 그러나—.

"—터져라!"

소피아가 『에어리얼 소드』로 지원해 공격이 예외 없이 창에 꽂혀 움직임을 둔하게 했다.

거기에 알트가 절규하며 공격했다!

『크억?!』

공격이 먹혔다. 즉, 이것은 알트와 소피아로도 쓰러뜨릴 수 있다는 뜻이었다.

공격당한 로자크가 나를 향해 외쳤다.

『네놈, 마물에게도 마법 효과를—?!』

"이 마법은 누구에게 사용할지 고를 수 있거든. 안 됐네."

나는 그렇게 말하며 숲에서 달려드는 악마들을 포착했다. 우리를 포위하듯이 날아든 무리는 눈대중으로 봤을 때 리엘의 마물들과 동수거나 그 이상이었다.

단번에 접근하면 위험하지만, 우리에게도 대책이 있었다.

"바람이여, 하나가 되어— 날려라!"

나는 바람 속성 하급 마법 『버스트 에어』를 썼다. 칼날과 폭풍을 만드는 바람 덩어리가 머리 위로 몇 미터 뻗어 올라 작렬했다.

공중에서 날뛰는 바람의 칼날이 악마들을 예외 없이 공격했다. 공격 범위가 넓게 퍼져서 위력이 떨어지지만, 적의 활공을 막기에는 충분하고도 남았다.

그 결과, 이쪽으로 날아들던 악마들이 지상으로 떨어졌다. 게다가 칼날로 피해를 본 모양이었다.

"─날려라!"

간발의 차도 두지 않고 다시 같은 마법을 썼다. 이번에는 공중이 아니라 악마 무리가 있는 곳으로!

훅 일어난 엄청난 바람에 악마들이 날아갔다. 그 여파로 바람이 우리 옷을 휘날렸다.

화려한 마법이지만, 소피아가 쓴 『에어리얼 소드』처럼 한곳에 집중하지 못해서 큰 피해는 주지 못했다. 내 목적은 따로 있었다.

나는 다시 『버스트 에어』를 썼다. 연이어서 악마 무리를 향해 작렬하자 대열이 크게 흐트러졌다.

『그런 의도인가……!』

로자크가 뒤늦게 깨달았다.

집단으로 몰려오는 마물은 아주 위협적이다. 때문에 단번에 밀어닥치면 나도 동료를 커버하지 못하기 때문에 우선 갈라놓기로 했다. 대열만 망가지면 그 뒤는 얼마든지 대처할 수 있었다.

"한눈팔지 말라고!"

알트가 그렇게 외치며 로자크에게 호쾌하게 대검을 휘둘렀다.

로자크는 그 공격을 창으로 막고 중얼거렸다.

『둘이 막는 사이, 주변 마물을 쓰러뜨리겠다는 건가. 허나 안 됐군. 숲속에는 아직─.』

"시간 벌 생각 없어! 너를 때려눕히겠다!"

알트가 거리를 좁혔다. 그가 휘두른 검을 로자크가 다시 창으로 튕겨냈다.

그때, 소피아가 옆에서 공격했다. 검날에는 마력— 하지만 바람이 아니었다. 그것은 희미한 녹색 빛을 띠었다.

『그 힘은—!』

로자크가 알트를 밀치고 피하려 했으나 한발 늦었다. 마족을 뒤쫓은 소피아가 휘두른 검이 갑옷에 직격했다!

『윽!』

로자크가 신음했다. 갑옷을 입은 것처럼 보이지만, 몸 일부일 것이다. 단단한 피부 같은 것으로, 비슷한 실력의 전사가 휘두른 검은 쉽게 튕겨내지만 소피아와 알트의 공격은 통했다.

그리고 조금 전에 소피아가 쓴 기술은 땅 속성 하급 마도기인 『어스 크래시』였다. 노움의 마력을 이용한 땅 속성 공격, 그것이 뜻밖에 효과가 있었다. 약점 속성인 모양이었다.

로자크와의 공방은 소피아와 알트가 우세했다. 남은 문제는 리엘인가.

아군인 마물들은 내 지팡이의 보조 효과를 받아 악마에게 대항할 정도의 공격력을 가졌다. 그래서 리엘은 악마의 공격을 막고, 가끔 반격했지만…… 50마리에게 계속 명령을 내리려면 고심하는 게 당연했다.

전투가 시작되고부터 그는 양손을 마주 댄 자세로 서 있었다. 목덜미에 땀을 흘리며 필사적으로 제어하는 모습이 무방비했다. 노려지면 위험했다.

하지만 좋은 뉴스도 있었다. —사역마가 내게 정보를 줬다.

"—날려라!"

다시 『버스트 에어』를 썼다. 주변에 굉음이 울리며 뭉치려던 악마들을 억지로 산개시켰다.

이것을 반복하면 시간을 벌 수 있고 언젠가는 악마도 버티지 못하게 될 것이다. 소피아와 알트가 로자크를 격파하면—.

알트의 호쾌한 공격이 다시 로자크의 창과 부딪혔다. 검이 맞물리는 소리가 분지에 울려 퍼졌고, 잠시 힘겨루기에 들어갔다.

원래는 로자크의 힘이 인간인 알트를 웃돌겠지만, 내 보조와 로자크의 약체화로 호각을 이뤘다.

바로 소피아와 이그노스가 지원에 들어갔다. 소피아는 검을 휘두르는 알트의 옆에서 공격했고 이그노스는 주변에서 다가오려 하는 악마를 마법으로 물리쳤다.

『칫!』

혀를 찬 로자크는 일단 물러났다. 그동안 나는 다시 『버스트 에어』로 다가오려던 악마들을 날려버렸다. 악마의 움직임이 매우 둔해졌다. 피해가 축적되고 있었다.

『네 이놈—!』

이대로는 위험하다고 생각했는지 로자크가 크게 치고 나갔다. 그대로 뭉개버릴 것처럼 돌격을 감행했으나 알트가 막아섰다.

"질까 보냐!"

알트는 기합을 내지르며 창에 대검을 부딪쳐 막았다. 그러자 소피아가 로자크의 등 뒤로 돌아 수평 베기를 먹였다. 둘의 협공에는 로자크도 버틸 수 없었다.

『으어어억!』

절규—. 지금이 승부처라고 결단한 마족은 소피아를 무시하고 전진했다.

이번에는 알트도 퇴각을 선택하지 않을 수 없었다. 소피아는 다시 『어스 크래시』를 로자크의 등에 먹였고, 갑옷에 크게 금이 갔다!

『크악—!』

그래도 멈추지 않았다. 리엘을 노리는 게 틀림없었다. 균형을 무너뜨리려면 그를 쓰러뜨리는 수밖에 없었다. 그래서 나는 도박을 했다.

알트는 옆으로 물러났고 소피아는 다시 공격했다. 한편, 나는 리엘을 지키기 위해 지팡이를 들고 로자크와 맞서려 했다.

그때였다. 사역마의 새로운 보고가 들어온 것은—.

『끝이다!』

로자크가 선언했다. 모두가 눈앞의 전투에 집중했다. 앞으로 무슨 일이 일어날지 몰랐다. 유일하게 나만 모든 것을 파악하고— 우선 로자크의 창을 받아넘겼다.

지팡이에 창이 닿은 순간, 팔에 상당한 힘이 들어갔다. 즉시 마력으로 순식간에 신체 강화를 끝냈다. 마력이 샐 아슬

아슬한 수준…… 하지만 약해진 로자크를 막아내는 데 성공했다.

『말도 안 돼, 네놈—!』

"나도 마법 효과 범위에 들어가 있으니까."

의심받지 않게 마법의 효과라고 선언해두고 지팡이로 쳤다.

"알트! 소피아!"

밀어붙이라는 듯이 이름을 부르자 먼저 알트가 움직였다.

"받아라아아아—!!"

돌격하며 검을 퍼 올리듯이 베었다. 공격은 끝나지 않았다.

이번에는 치켜든 검을 바로 내려쳤다. 아래에서 위로의 공격, 그리고 내려치기와 함께 마력으로 생긴 충격파가 로자크의 기를 꺾었다.

『컥—!』

확실하게 효과가 있었다. 그리고 틀림없었다. 이것은 대검 중급 기술인 『길티 브레이크』였다. 궁지에 빠지고 드디어 중급 기술을 체득했다.

소피아가 이어서 공격하기 위해 로자크의 뒤로 달려들어 세 번째 『어스 크래시』로 갑옷을 뚫었다.

『아직이다!』

하지만 로자크는 집요하게 리엘에게 다가갔다. 나는 철제 지팡이를 들었고— 순간, 시야에 검은 그림자가 들어왔다.

그것이 무엇인지는 나도 알 수 있었다. 로자크의 창이 그 검은 그림자의 공격에 막혔다.

『아니─?!』

경악에 찬 목소리─ 그 명확하게 생긴 허점을 소피아와 알트는 놓치지 않았다.

둘 다 검을 머리 위로 높이 치켜들고 내리쳤다. 좌우에서의 공격이 로자크의 몸에 맞은 순간─.

『크아아아아!』

짐승 같은 포효와 함께 로자크의 몸이 먼지가 되었다.

"당신은─."

알트가 물었다. 소피아는 놀라서 말을 잃었다.

"솔직히, 루온 씨 일행이 연관되어 있다니 예상 밖이었어."

그렇게 말한 인물이 나를 돌아보며 말했다.

"빚을 갚으러 왔어. ……루온 씨."

"─오르디아."

이름을 부르는 내게, 그는 예전에는 보여주지 않았던 여유로운 미소로 응했다.

"로자크를 무찔렀지만, 잡담할 시간은 없겠군."

오르디아가 양손에 든 검을 고쳐 쥐고 주위를 둘러보며 말했다.

명령하는 로자크가 소멸했기 때문인지 악마들의 움직임이 아주 원만해졌고 우리를 공격할 기척도 사라졌다. 혼란스러운 것 같았다.

오르디아는 그런 악마들을 주의하며 설명했다.

"마족의 지시를 받은 마물은 명령이 사라지고 조금 지나면 멋대로 날뛰기 시작해. 이 성의 주인인 레드라스가 밖으로 나와 지휘하지는 않을 테니까 내버려 두면 일이 커질 거야."

나는 숲을 바라봤다. 정확한 수는 모르지만, 아직 나무 사이에 악마들이 있었다.

"오르디아, 이대로 내버려 두고 성으로 들어가면 숲에 있는 악마는 어떻게 돼?"

"성 안까지 우리를 쫓아오는 자와 성 주변의 인근 마을을 습격하는 자로 나뉘겠지."

"그럼 둘로 나뉘어야 하나."

리엘이 말했다. 옷소매로 목덜미를 훔친 그는 말을 이었다.

"내 마물을 이용하면 악마를 유도할 수 있을 거야. 루온 씨가 도와줘서 다친 마물도 많지 않아. 대처할 수 있어."

"하지만 당신 혼자서는 무리야. 아군이 필요하군."

오르디아의 지적에 리엘이 의문을 던졌다.

"무슨 일로 여기에 왔지?"

"당신이 레드라스의 성으로 향하는 걸 알고 달려왔어."

"달려왔다고……? 애초에 어떻게 나에 대해 알고 있지?"

"그런 정보를 손에 넣었어. —나는 마족과 인간 사이에서 태어난 존재다."

갑작스러운 커밍아웃. 아니, 이 이야기를 안 하면 레드라스와 대결할 때 안 좋다는 것은 알지만…….

하지만 너무 갑작스럽게 말해서 사정을 아는 나와 유노를

제외한 모두가 당황했다. 뭐랄까, 분위기 파악을 못 한다고
해야 하나, 안 한다고 해야 하나…….

"……즉, 마족 쪽에서 정보를 얻었다고?"

알트가 의문을 나타내자 오르디아가 고개를 끄덕였다.

"그렇다. 리엘 씨, 당신은 그 특수한 능력 때문에 표적이 된
상태야. 이 전투가 끝나면 한동안 숨어있어야 해."

"……원래, 당신은 마족 쪽의 인간이었던 거지?"

알트가 다시 묻자 오르디아도 다시 고개를 끄덕였다.

"신용할 수 없나?"

"……만약 적이라면 우리는 지금쯤 검에 베였겠지. 적어도
레드라스를 무찌르는 것에는 이해가 일치해. 그렇지?"

"그 말이 맞다."

"그럼 어서 가자."

알트가 대검을 들었다. 주변 악마들도 천천히 경직이 풀리
기 시작했다. 남은 시간이 얼마 없었다.

"아까 말했듯이 둘로 나뉘어야 해."

리엘이 악마를 관찰하며 주장했다.

"하지만 혼자서는 힘들어. 호위가 필요해."

"그럼 제가 함께하겠습니다."

이그노스가 솔선해서 손을 들었다.

"조금 전의 마족에게는 제 마법이 잘 통하지 않았어요. 힘이
부족한 게 명백합니다. 후위는 루온 씨, 당신이 해야 해요."

……전력을 따져봤을 때, 리엘이 밖에서 싸우게 되면 전위

를 지원할 수 있는 사람은 나와 이그노스뿐— 하지만 이그노스는 자신이 도움이 되지 않는다고 판단했다.

"그러면 남은 넷이서 레드라스가 있는 곳까지 돌격인가?"

"아니, 한 명은 입구에 있는 게 좋겠군."

오르디아가 말했다.

"밖에서 싸우는 사람은 악마들과 교전하는 것뿐만 아니라 성 내부에서 나타나는 마물까지 상대해야 해. 둘로는 힘들 거다."

"협공한다고? 정말 열 받는군."

알트가 성을 올려다보며 불평했다.

"하지만 그럼 레드라스라는 마족과 셋이서 싸우게 된다고?"

"—놈의 특성은 나도 적잖이 알아. 나를 포함해 셋이면 충분히 맞설 수 있을 거다."

오르디아가 자신감을 보이며 말했다. 이거, 판단이 갈리겠군.

"시간이 별로 없지만, 의견을 듣고 싶어. 루온 씨."

"나?"

"조금 전의 전투, 멀리서도 루온 씨가 전황을 장악한 게 보였어. 적과 동료의 능력을 제대로 분석해서 가능했던 일이지. 그리고 누가 성에 들어갈지 생각한 바 있지 않아?"

나는 입구에서 성 안을 바라봤다. 창문이 없지만, 마법의 빛으로 제법 시야가 확보됐다.

리엘과 칠흑의 마물에 이그노스만으로는 확실히 불안했다. 이곳에 알트나 오르디아…… 둘 중 한 명을 배치하면 든든할 것이다.

"……오르디아, 레드라스를 얼마나 파악하고 있어?"

"창을 쓰고 바람 속성 기술을 가졌어. 현재는 모종의 이유로 약해져서 나로도 맞설 수 있지."

"모종의 이유?"

"나는 마왕군에서도 말단이었어. 왜 약해졌는지, 무엇 때문에 이런 성을 지었는지는 몰라."

핵심 정보를 모르는 것은 게임대로군. ……여기가 분수령이다.

현자의 힘을 부여받을 인물을 알트로 하느냐, 오르디아로 하느냐.

악마가 우리를 위협하기 시작했다. 남은 시간은 이제 거의 없었다.

"루온 님."

소피아가 불렀을 때― 나는 입을 열었다.

"……오르디아, 성 안을 안내할 수 있어?"

"내부 구조까지는 몰라. 하지만 레드라스의 기척을 착각하지는 않아. 한 번에 도착할 거다."

마족의 피가 섞여서 생긴 능력인가. 나는 그의 의견과 동료들의 능력 등을 고려한 후, 이내 결론을 내렸다.

"……알트, 여기를 맡겨도 될까?"

"알았어. 성 안에는 루온 씨와 소피아 씨, 그리고 저 오르디아라는 사람이 가는 거군."

"응."

능력에 근거한 결단이었다. 나는 두 사람을 지키고 전투에서 이길 것을 마음속으로 맹세하고 입을 열었다.

"소피아, 오르디아. 지원은 내가 할게. 두 사람은 마음껏 날뛰어."

"네."

"좋다."

"유노, 너는—."

"나도 따라갈래."

보고 싶다는 거네.

"좋아. 단, 내 주머니 안에 있을 것."

악마가 공격태세에 들어갔다. 그에 알트가 검을 겨누고 우리에게 외쳤다.

"가! 날려버리고 오라고!"

그의 독려를 들으며 나와 유노와 소피아, 그리고 오르디아는 성 안으로 들어갔다.

"우선 돌진한다!"

오르디아의 외침과 동시에 입구 방향에서 마물의 포효가 들렸다. 알트 일행의 전투도 시작됐다.

우리는 돌아보지 않고 통로를 직진했고— 마물과 마주쳤다. 게임에서는 『섀도 팬서』라고 불린 칠흑의 표범이었다.

"조심해, 날쌘 적이야!"

즉각 소리를 높였다. 여태까지 만난 마물들과 능력이 그리 다르지 않지만, 회피율이 높아서 날쌔고 깐죽거리며 공격하는 짜증나는 타입이었다.

이런 적은 장기전이 되기 쉬우므로 다칠 확률이 높고 피로도 쌓였다. 게다가 이어서 고블린 계열 중급 종인 전신을 갑옷으로 무장한 『고블린 나이트』를 발견했다. 수가 많으면 귀찮은데—.

"오르디아는 고블린을 부탁해! 소피아! 신호하면 표범 마물에게 대응해줘!"

나는 얼른 지시를 내리고 지팡이를 바닥에 내리쳤다. 그러자 나를 중심으로 푸른색 마법진이 떠올랐다.

민첩성과 반응력을 높이는 『윙 필드』였다. 내가 「됐어」라고 말한 직후, 소피아가 공격력 강화 마법을 걸며 섀도 팬서에게 접근했다.

적은 피하려고 했지만, 소피아가 즉각 반응해 검을 내질렀다. 머리를 노린 공격은 옆으로 도망치려 한 섀도 팬서의 오른쪽 어깨를 찔렀다.

일격으로 쓰러뜨리지는 못했지만, 피해를 줬기 때문인지 마물이 일단 물러나려고 했다. 소피아는 추격했다. 내가 어떤 지원 마법을 했는지 알아차리고 높아진 민첩성을 이용해 마물이 특색을 발휘하기 전에 처리하기로 한 모양이었다.

그 계획은— 성공했다. 가차 없는 수직 공격이 이번에야말로 머리에 직격했다. 쉭, 소리가 들리고 섀도 팬서가 쓰러졌다.

흠, 처리능력이 놀라울 정도로 빨라졌군. 내 기술로 강화되기도 했지만, 로자크와의 전투가 소피아를 단번에 성장시킨 것 같았다.

소피아는 멈추지 않고 그대로 달렸다. 목적은 오르디아 지원. 시선을 옮기니 그는 검을 호쾌하게 휘두르며 고블린 나이트를 태연히 밀쳤다.

"알트와 막상막하인 느낌인데?"

유노가 주머니 속에서 말했다. 나는 마음속으로 동의했다.

대검을 든 알트와 비슷한 힘. 사역마로 관찰할 때는 그 정도로 레벨을 올린 것 같지 않았는데…… 이것이 바로 그가 가진 본래의 힘인가.

오르디아는 소피아가 거드는 것보다 빠르게 결판을 냈다. 마물은 연속으로 그의 공격을 받다가 마침내 버티지 못하고 몸을 크게 젖혔다. 그때를 놓치지 않고 두 자루의 검이 흉부를 찔렀고, 이내 죽었다.

소피아와 오르디아는 단독으로 성 안의 마물과 맞섰다. 레드라스에 맞서기에 충분했다.

"서두르자."

오르디아가 주변을 경계하며 걷기 시작했다. 나와 소피아가 뒤쫓았다.

"루온."

걸음을 옮기는 사이, 유노가 작게 이름을 불렀다.

"레드라스를 이길 수 있겠어?"

나는 고개를 끄덕였다. 하지만 문제도 있었다.

가다가 만나는 마물은 괜찮았다. 도중에 갑자기 적이 강해지는 현상은 없었으니 어지간한 일이 없는 한은 고전할 일이 없을 것이다.

걱정이 있다면 기술의 위력이었다. 그 부분을 생각하면 중급 기술을 체득한 알트를 선택해야 했을지도 모르나…… 그의 『길티 브레이크』는 허점이 많았다. 인원이 많으면 인해전술로 맞출 수 있어도 전위 둘, 후위 하나로는 어렵다고 판단했다.

소피아는 아직 중급 기술을 습득하지 못했다. 오르디아는…… 조금 전의 전투를 보면 화력이 부족하지는 않은 것 같았다.

레드라스의 공격에 관해서도 불안 요소가 있었다. 놈은 바람과 조합한 마도기를 쓴다. 특히 주의해야 하는 것은 중급 마도기로 구분되는 『블라스트 랜스』.

바람을 휘감은 강렬한 찌르기 기술로, 게임에서는 크리티컬 확률이 높아 한 방에 전투불능이 되는 경우도 있었다. 현실이 된 지금은 급소에 직격하면 즉사해도 이상하지 않았다. 옆구리를 스치는 정도만으로도 전투에 지장을 줄 것이다. 대책은 『에어 실드』라는 마법으로 바람 내성을 올리는 정도—.

단, 이 마법은 한 번 걸면 완전히 효과가 사라질 때까지 다시 걸 수 없어서 시간이 지남에 따라 효력이 약해졌다. 타이밍이 아주 중요했다.

"내 지원에 따라 판국이 바뀌는군."

작게 중얼거렸다. 그것을 들은 유노가 「힘내」라고 나를 격려했다.

그 뒤로 여러 차례 마물과 마주쳤지만, 한 번에 나타난 수가 적기도 해서 소피아와 오르디아는 문제없이 대처했다. 다만, 소피아가 기술과 마법을 새로 습득할 여유는 없었다.

그렇다고 성 안에 오래 있을 수는 없었다. ……불완전한 상태일지도 모르지만, 하는 수밖에 없었다.

그렇게 낯익은 장소— 레드라스가 있는 회랑으로 이어지는 문 앞에 도착했다.

"이 문 너머야."

오르디아가 말했다. 그 목소리와 몸에 적잖이 힘이 들어갔다.

소피아도 긴장했다. 나는 그런 두 사람에게 입을 열었다.

"둘 다, 필요 이상으로 어깨에 힘이 들어갔어."

"……루온 님."

"내가 전력으로 엄호할게. 두 사람은 레드라스를 무찌르는 것만 생각해."

반드시, 두 사람을 지키겠다. 그렇게 마음속으로 굳게 결심했을 때, 오르디아가 문을 만지려고 했다.

그러자 손이 문에 닿기 직전, 멋대로 열리기 시작했다. 우리는 즉각 무기를 들었고— 뛰어다니기 충분한 면적의 회랑이 보였다. 창은 없지만, 곳곳에 설치된 마법의 빛이 실내를 밝혔다.

그런 회랑 중앙…… 마치 만다라처럼 복잡한 문양이 그려진 바닥에 레드라스가 서 있었다.

푸른 광택을 띤 금속 같은 피부였다. 게다가 귀신 가면이라도 쓴 것 같은 얼굴이 우리에게— 아니, 오르디아에게 모멸적인 시선을 보냈다.

체격은 평범한 사람보다 한결 거대한 거구였고, 푸른 전신을 짙은 보라색 갑옷으로 감쌌다. 창을 든 그 모습은 그야말로 무인이라 하기에 지장 없이 위풍당당했다. 잔재주를 부리지 않고 정면으로 싸우기를 진심으로 바라는 것처럼 느껴졌다.

『오르디아, 네가 배신할 것을…… 나는 예견했다.』

레드라스의 차분한 목소리가 들렸다. ―그의 말은 게임 대사와 같았다.

『너는 인간의 피가 섞여 폐께 충성을 맹세한 것을 잊었다. ……처음부터 너를 쓰는 것에 반대했다.』

"그래. 마왕에게는 최악의 결단이었을지도 모르겠군."

오르디아가 세 걸음 앞으로 걸어가 오른손에 든 검을 레드라스에게 향했다.

"너를 쓰러뜨려 계략 하나를 박살내겠다."

『그렇다면 나는 마지막 선고를 내리마.』

회랑에 울려 퍼지는 선언. 화를 내는 줄 알았으나 레드라스에게서 느껴지는 기척은 냉정했다.

지금까지의 대화는 게임과 똑같았다. 역시 오르디아가 이야기의 중심이 되는 걸까.

소피아가 그 옆에 서서 전투태세에 들어갔다. 드디어 시작된다. ……레드라스는 땅속에 마력을 주입하고 있기 때문에 약해졌다. 하지만 그 창술 실력은 변하지 않았을 터― 주의해야 했다.

잠깐의 정적이 흐른 후, 오르디아가 레드라스에게 달려갔다!

게임에서는 여기서 레드라스전(戰) 전용 음악이 깔린다. 5대 마족에게는 각각 전용 곡이 있는데 레드라스는 빠른 사운드에 터질 것 같은 드럼과 지지직거리는 기타가 인상에 남았다.

레드라스를 보니 그 BGM이 머릿속에 솟구쳐 맴돌았고, 소피아가 움직이는 것을 눈에 담았다. 남은 나는— 공격력을 올려야 하나, 방어력을 상승시켜야 하나?

"저 창은 맞으면 위험할 것 같네."

그때 유노가 지적했다. —그녀의 조언으로 어떻게 할지 결정했다.

지팡이로 바닥을 내리쳐 마법진을 만들었다. 나는 성 안에서 쓴 『윙 필드』를 선택했다. 공격력 등을 올리기보다 레드라스의 창을 피할 수 있게 해야 한다고 생각했다.

『나의 창이여, 썩혀라.』

레드라스는 창을 오르디아에게— 찌르지 않고 세로로 내리쳤다.

그의 체격에 어울리는 창은 인간의 것과 비교해 훨씬 길었고, 한 번 휘둘러서 병사 열 명은 두 쪽 내버릴 것 같은 분위기를 풍겼다.

그러나 오르디아는 두려워하지 않고 파고들었다. 검에 마력이 실렸고— 그대로 정면으로 부딪쳤다.

만약 알트라면 힘으로 이기지 못하니 받아넘기고 반격했을 것이다. 하지만 오르디아는 그 힘을 활용해 버렸다.

『역시, 평범한 인간과는 다른가.』

레드라스의 말에 오르디아도 입을 열었다.

"넌 지금 약해져 있어. 원래는 나도 이러지 못했을 거다."

『과연. 허나 너희를 죽이기에는 충분한 힘이 남아있다!』

레드라스가 그를 밀치고 재빠르게 창을 겨눈 후— 중급 기술인 『블라스트 랜스』가 아닌 바람 없는 찌르기 공격을 퍼부었다.

오르디아는 몸을 옆으로 틀어 피했다. 아주 작은 동작이었다. 그야말로 종이 한 장 차이.

거의 빈틈없이 바로 반격에 들어간 순간—.

"불꽃의 창이여— 폭발하라!"

소피아의 마법, 불 속성 하급 마법 『파이어 랜스』가 발사됐다.

레드라스는 당연히 창으로 공격하거나 피하려고 했지만— 오르디아가 그것을 막고자 기술을 썼다. 이도류 하급 기술인 『쌍용참』이었다.

통상 공격보다 마력을 높여서 빠르게 연타를 때려 넣었다. 그 공격은 소피아의 마법에 신경 쓰던 레드라스의 허를 찌르고— 들어갔다!

『칫!』

레드라스가 혀를 찼다. 그리고 『파이어 랜스』도 명중했다. 폭염이 잠시 마족을 감쌌고 오르디아와 소피아는 즉각 거리를 뒀다. —연계는 제대로 이루어졌다. 게다가 오르디아는 레드라스와 맞설 힘을 갖췄다.

이내 불길이 사라졌다. 레드라스는 겉보기에는 멀쩡했지만…… 피해를 당한 게 분명했다.

『제법이군.』

레드라스가 창을 고쳐 들며 말했다.

『인정하지. 너희는 나를 죽일 수 있는 존재라고.』

"당신을, 여기서 처단하겠습니다."

소피아가 단언했다. 자신을 북돋는 의미도 될 것이다.

『그렇다면, 그 말을 도로 돌려주마!』

자신감이 가득한 선언— 어쩌면 조금 전의 공방, 소피아와 오르디아의 공격을 일부러 맞은 건가? 그 기량과 위력을 확인하려고…… 그런 의도가 있었다면—.

나는 반쯤 무의식적으로 지팡이를 쥐었다. 한순간도 긴장을 늦출 수 없는 적이다. 태만하게 도우면 오르디아나 소피아 중 누군가가 전투불능이 되고 말 것이다.

본 실력을 내면 마왕에게 알려질 게 분명하니 지금 할 수 있는 방법으로 두 사람을 돕는다. 그렇게 생각한 나는 레드라스의 움직임을 일거수일투족 놓치지 않도록 주목하며 마법을 준비했다.

그때, 오르디아가 파고들어 공격했다. 그러나 레드라스는 창으로 튕기고 잇따르는 공격을 받아넘겼다.

소피아가 지원하려고 했지만, 레드라스의 반응 속도가 웃돌아 공격하지 못하고 발을 멈췄다.

『왜 그러지?』

레드라스가 묻자 오르디아가 다시 공격을— 그때, 깨달았다. 소피아의 공격이 막혀 연계가 이루어지지 못했다.

레드라스는 그것을 노렸다. 허점을 찾아 카운터를 노리고 있었나.

다음 순간, 레드라스의 찌르기가 들어왔다. 표적은 오르디아— 그는 즉시 반응해 몸을 틀어 창을 피했다.

피했지만, 당연히 태세가 크게 무너졌다. 소피아가 돕고자 접근하려고 했지만, 한발 늦었다.

명확한 틈이 생겼고 레드라스가 좋은 기회라는 듯이 창에 바람을 둘렀다. 『블라스트 랜스』가 분명했다.

제대로 맞으면 즉사할 수 있었다. 나는 바람의 창에 맞서고자 『에어 실드』를 쓰려고 했다.

이 마법으로 위력과 기세를 상쇄하면 민첩성이 향상된 오르디아라면 피할 수 있을 것이다. 그렇게 생각하고 실행하려고 한 순간—

갑자기 안 좋은 예감이 들었다.

"루온!"

무언가를 알아차렸는지 유노가 외쳤다. 곧바로 나는— 마법 대상을 오르디아가 아닌 소피아로 바꿨다.

두 사람도 레드라스의 목표는 오르디아라고 생각했으리라. 그러나 나는 직감에 따라 소피아에게 마법을 사용했다.

그와 똑같은 타이밍이었다. 레드라스의 『블라스트 랜스』는 억지로 궤도를 바꿔 소피아에게 날아들었다!

"윽?!"

소피아는 신음하며 피했다. 하지만 기습에 가까운 공격에 대처가 늦었다.

여기서 내 마법이 공을 세웠다. 『에어 실드』가 레드라스의 창의 기세를 상쇄하듯이 바람을 일으켜 기세를 크게 죽였다.

소피아는 잠깐 생긴 공백 시간을 놓치지 않고 검을 치켜들어 창으로 가져갔다.

무기끼리 닿은 순간, 퍼엉 마른 소리가 생겼다. 창의 궤도가 어긋나고 소피아는 위험에서 벗어나는 데 성공했다.

『으음……! 이 공격을 막다니─.』

레드라스의 얼굴이 나를 향했다. 나는 시선을 느끼며 『홀리 샷』을 준비했다. 마력 모으기는 한순간. 공격으로 전환하려는 소피아와 오르디아를 엄호했다.

"─빛이여!"

빛의 탄환이 생김과 동시에 오르디아가 공격했다. 그에 레드라스가 창으로 방어하며 금속이 부딪히는 소리가 회랑에 울려 퍼졌고─ 이내 빛과 소피아의 검이 날아들었다.

레드라스는 마법을 막으려 했지만, 오르디아가 허락하지 않았다. 빛의 탄환이 레드라스의 오른쪽 옆구리에 직격했고 소피아가 검을 들어 검날에서 화염을 내뿜었다.

하급 마도기 『화염 베기』─ 오르디아가 붙잡은 사이, 소피아의 검도 오른쪽 어깨에 직격했다. 상당한 기세로 내리쳤으나, 그래도 레드라스는 변한 게 없었다.

피해는 확실하게 줬지만, 격파까지는 아직 멀었나—.

『아무리 공격한들, 이 정도로는 나를 쓰러뜨릴 수 없다!』

레드라스가 그렇게 외치며 오르디아를 밀쳤다.

그는 그 반동에 몸을 맡기고 후퇴했다. 소피아와 내 공격이 맞아서 무리하지 않았다.

이때, 나는 한 가지 확신했다. 레드라스는 힘이 호각을 다투는 오르디아를 가장 경계했다. 소피아와 내 공격에 맞은 것은 그의 공격을 맞는 것보다 낫다고 생각했기 때문인가.

"아주 여유롭군."

오르디아가 검을 고쳐들며 말했다.

"일부러 공격을 맞다니…… 그런데 언제까지 갈까?"

『심리전을 벌일 생각은 없다.』

레드라스가 냉큼 잘라버리고 가볍게 창을 휘둘렀다.

『그럼 이쪽에서 간다.』

선언. 그리고 한 걸음으로 오르디아와의 거리를 좁히고 찌르기를 날렸다. 오르디아는 호흡을 가다듬고—.

"틈을 만들어줘."

그렇게 중얼거렸다. 내게 한 말이었다.

그가 창을 피하자 소피아가 다시 옆에서 베려고 했다. 하지만 레드라스는 그 공격에 반응해 창을 거두고 재빠르게 대응했다. 키잉— 무기가 부딪히고 소피아는 물러났다.

하지만 추격하지는 않았다. 레드라스의 목표는 어디까지나 오르디아. ……그러나 한 가지가 변했다. 그는 가끔 내게 시선을 던졌다. 지금은 오르디아에게 가장 주의를 쏟고 있지만, 아까 소피아를 엄호한 나도 경계하는 걸까.

그렇다면 이 상황에서 어떻게 틈을 만들까. ……방법은 여럿 있었다. 한 번만 확실하게 통할 마법도 있지만, 아직 쓸 때가 아닌가.

그렇다면 지금은— 마력을 끌어올리기 시작했다. 그것도 조금 신중하게.

왼팔에 묶은 리본을 신경 쓰며 천천히 왼손을 뻗었다. 소피아도 검을 고쳐 들고 적에게 다가가려고 했다.

"마를 꿰뚫어라— 천공의 성창(聖槍)!"

중급 마법 『홀리 랜스』. 그러자 마력을 느낀 레드라스가 일시적으로 나를 의식했다.

그때, 소피아가 허를 찌르듯이 달려들었다.

『—윽?!』

소피아의 검날에 깃든 마력의 크기를 깨달았는지, 레드라스가 창을 내지르려고 했다.

그것을 방해하기 위해 내 마법이 발동됐다. 희고 푸른빛을 동반한 빛이 무서운 속도로 레드라스에게 날아들었다. 속도가 예상보다 빨랐는지 피할 여유도 없이 직격했다!

『크악—!』

먹혔다. 이에 오르디아가 거리를 좁혔고—.

"레드라스!"

양손의 검이 빛나기 시작했다. 이 변화는, 혹시—!

오르디아의 검이 먼저 연속 공격을 먹었다. 갑옷이 삐걱거리는 소리가 났고, 그가 추격하듯이 수평 베기 2연타를 더했다.

그리고 결정타로 오른쪽 검으로 찌르기— 합계 5연타. 움직임은 아주 깔끔했고 막힘없었다.

레드라스의 태세가 완벽하게 무너졌다. 이제 마무리만 남은 단계에 이르자 소피아가 마족의 앞으로 돌아갔다.

"하아아앗!"

찢어질 것 같은 소리를 동반한 『어스 크래시』가 퍼부어졌다. 땅의 힘을 이용한 대담한 일격은 멋지게 레드라스의 흉부를 공격했다.

『윽—!』

레드라스는 이 공격에 버티지 못했다. 소피아의 혼신의 일격이 레드라스의 거구를 공중에 띄웠고— 그대로 뒤쪽으로 날려버렸다!

바닥에 몸을 부딪친 뒤에도 회랑 끝까지 힘차게 미끄러지는 레드라스…… 소피아와 오르디아의 훌륭한 공격으로 얻은 성과였다.

"오르디아, 지금 공격은—."

"일단, 지금 내가 쓸 수 있는 가장 강한 기술이다."

이도류 기술 중에 연격 계열 기술이 여럿 있는데…… 5연타라면 『엣지 플러드』인가. 게임에서도 그가 방금 했던 식으로 검을 휘둘렀다. 찌르기까지 먹이면 적을 날려버릴 수도 있는 고성능 기술이었다.

그리고 이것은 중급 기술에 해당한다. 즉, 오르디아는 처음부터 레드라스와 싸우기 위해 준비했다는 것인가.

"아까 마법으로 주의를 끌어줘서 살았어. 나 혼자서 맞히는 건 불가능했어."

오르디아가 감사를 표하자 소피아가 다가왔다. 다치지는 않은 것 같았다.

"소피아, 마력은 괜찮아?"

"네. 문제없습니다."

"좋아. 이번 공격은 레드라스도 상당히 타격을 입었을 거야. 하지만 지금부터가 고비야—."

『—쓰러질 정도의 맹공을 받은 것은, 실로 오랜만이군.』

레드라스가 천천히 일어섰다. 화가 나도 이상하지 않은 상황인데 냉정한 모습이었다.

『지금 공격은 효과가 있었다.』

"그렇게 말하는 것치고는 아직 여유로운데?"

『연기하는 편이 낫겠나?』

내 말에 레드라스가 장난스럽게 대답했지만…… 이번 공격은 무시할 수 없을 정도의 피해를 줬다. 오르디아의 중급 기술을 중심으로 공격하면 단번에 결판이 날 가능성도 있는데…….

"루온 씨, 아까 한 연속 공격을 한 번 더 맞추기는 어려워."

오르디아가 입을 열었다.

"강한 기술이 하나 더 있다. 이건 단발 공격이라 아까보다 맞추기 쉬워."

……중급 기술이라면 『크로스 글림』인가. 검을 교차한 상태로 마력을 높여 내리치는 기술이었다. 게임에서는 이 기술을 쓰면 빛 이펙트가 남았다.

하지만 이 기술에는 단점이 있었다. 오르디아도 아는 듯했다.

"하지만 이 기술은 쓴 다음에 빈틈이 생겨. 루온 씨가 그 빈틈을 메워줬으면 해."

지원이 필요하다는 것이었다.

"알았어. 소피아는—."

"저도 돕겠습니다."

"그럼 나는 어떤 공격이 올지 말해줄까?"

그때, 조용히 있던 유노가 입을 열었다.

"아까 바람을 두른 창 기술 있었지? 한 번 봤으니까 그 정도는 판단할 수 있을지도 몰라."

"알았어. ……나는 엄호할 만한 마법을 준비할게."

그 직후, 레드라스가 공격했다. 거리를 좁히고 창을 휘둘렀다. 그것은 나란히 선 오르디아와 소피아를 노렸다.

우리는 호흡을 맞춘 것처럼 피했다. 오르디아는 필요 최소한의 동작으로 피하고 반격을 시도했다.

"—온다. 하지만 아까보다 위력이 약해."

유노가 말했다. 『블라스트 랜스』가 아니라 하급 기술인 『질풍창』일 것이다.

나는 얼른 마법을 썼다. 오르디아에게 『에어 실드』를 써서 창의 기세를 크게 죽였다.

『성가시군, 그 마법—!』

레드라스가 울부짖었다. 오르디아가 『크로스 글림』을 쓰기 위해 품으로 파고들었다.

리스크 있는 승부— 레드라스에게 반격당할 수 있는 상황임에도 오르디아는 공격을 감행했다!

"받아라!"

오르디아가 교차한 검을 강하게 휘둘렀다. 검에 생긴 하얀 빛이 일시적으로 레드라스의 갑옷에 머물렀고 레드라스가 크게 비틀거렸다.

하지만 기술 때문에 오르디아는 몸이 경직돼 틈이 생겼다. 그때, 소피아가 달려들었다.

『아직이다!』

레드라스는 버텼다. 소피아가 커버하려고 들어오는데도 오르디아를 찌르려고 했다.

소피아에게 맞춰 내 마법이 작렬했다.

"—천공의 성창!"

레드라스의 오른쪽 어깨를 노려 『홀리 랜스』를 썼다.

마법은 소피아의 옆을 날아가 노린 곳에 직격했다. 충격과 둔탁하고 무거운 소리와 함께 레드라스의 팔을 완전히 꿰뚫어 막았다.

오르디아가 경직에서 벗어났다. 그리고 소피아는— 틈을 놓치지 않고 계속 달려들었다!

『칫!』

레드라스도 그녀를 무시하지 못했다. 하지만 내 마법에 붙들린 팔은 반응할 여유를 주지 않았다.

소피아의 발이 바닥을 세차게 박차며 앞으로 나갔다. 그것을 본 순간 확신했다. 여태까지의 기술과 다르다. 이것은—!

『아닛?!』

레드라스는 변화를 알아차렸으나 전혀 반응하지 못했다. 소피아는 유려한 움직임으로 수평 베기를 날렸고 그 기세를 살려 등 뒤로 돌아갔다.

"이건……."

유노가 반응했다. 내가 수행 시절에 보여준 기술 중 하나라 기억나는 모양이었다.

"맞아. 『청류일섬(淸流一閃)』이야."

—발에 마력을 더해 순간적으로 속도를 상승시켜 스치듯이 베는 기술. 단발 기술이며 위력적인 중급 기술이었다.

수라장 속에서 마침내 소피아도 중급 기술을 습득하기에 이르렀다.

그러나 공격은 이것만이 아니었다. 오르디아가 분노한 기척이 감도는 적에게 공격을 퍼붓자 레드라스는 포효에 가까운 소리를 질렀다.

분노한 게 분명했다. 협공당하는 모양새가 되자 드디어 폭력성이 겉으로 드러났다.

그리고 오르디아에게 지금까지와 비교하면 정밀하지 못한 공격을 날리려는 그 순간— 소피아가 『파이어 랜스』를 쏴서 분노로 이성을 잃은 레드라스의 등이 폭염에 휩싸였다.

마법을 맞은 레드라스의 몸이 굳었다. 오르디아는 이 커다란 빈틈에, 아까 맞추기 어렵다고 판단했던 기술 『엣지 플러드』를 먹였다!

"하아아아앗!"

그가 내지른 절규와 함께 검이 갑옷을 뚫었다. 삐걱거리는 소리가 들리며 꿰뚫린 갑옷에 금이 갔다.

『─크아아악!』

레드라스가 호흡하듯이 또 울부짖었다. 한계에 다다른 게 분명했다. 지금이 승부처라고 확신한 나는 한 번밖에 쓰지 못하는 비장의 수를 쓰기로 했다.

"단번에 결판낸다!"

오르디아도 좋은 기회임을 깨닫고, 그렇게 외치며 검에 마력을 주입했다. 그것을 본 나는 순간적으로 지팡이로 바닥을 내리쳐 일단 마법진을 해제한 후 다른 효과─『차징 필드』로 바꿨다.

공격력 상승효과가 합쳐지면 몰아붙일 수 있다. ……그에 호응하듯이 소피아도 레드라스의 뒤에서 마력을 모았다. 한순간 『청류일섬』인 줄 알았으나 마력 장벽과 다른 마력이 소피아를 감쌌다. 정령의 힘이리라.

레드라스도 이것이 마지막 승부임을 직감했는지 그가 가진 모든 힘을 쏟을 기세로 창에 마력을 모았다. 분명히 『블라스트 랜스』를 사용할 것이다. 상황은 우리가 유리하지만, 동료

중 누군가가 저 공격에 당하면 상황이 뒤집어진다.

그러니까— 내가 막아내겠어!

"마(魔)를 사로잡아라— 봉인의 사슬!"

목표는 레드라스의 발— 그러자 갑자기 그의 그림자가 빛났다.

『뭣?!』

레드라스는 경악과 함께 움직임이 멈췄다. —그대로 그 자리에 구속됐다.

그렇게 생긴 빈틈은, 소피아와 오르디아가 공격하기에 충분한 시간이었다.

오르디아가 『크로스 글림』을 날렸다. 하얀 궤적이 레드라스의 몸에 맞았고— 이어서 소피아가 마족의 등을 향해 검을 휘둘렀다.

소피아의 마력이 용솟음쳤다. 제어할 수 없는 그 마력을, 소피아는 레드라스에게 때려 넣다시피 퍼부었다.

"—야아아아아앗!!"

아까보다 크게 절규하며 쏜 것은 거대한 마력 덩어리였다. 심홍색 마력이 검과 함께 레드라스를 집어삼켰고 굉음과 충격파가 생겼다.

"이건……."

—땅 속성 상급 마도기 『새벽의 지룡(地龍)』이었다. 노움 중에서도 높은 능력을 갖춘 로쿠토와 계약해서 쓸 수 있었나…….

그에 레드라스는— 내 마법 때문에 방어도 하지 못하고 두

사람의 공격을 그저 맞을 수밖에 없었다. 갑옷이 크게 부서지고 그 안에 있는 푸른 몸에 균열이 갔다. 그리고 창을 쥔 팔도 힘이 약해졌다.

기술이 끝나자 오르디아는 물러났고 소피아는 옆으로 도망쳐 내 앞까지 돌아왔다. 이윽고 구속 마법이 풀리고…… 서 있는 레드라스와 대치했다.

"소피아, 괜찮아?"

"네, 아직 여력이 있습니다."

천사의 유적에서는 걷지 못할 정도로 마력을 소모했는데, 로쿠토와 계약하고 이 성에서 여러 번 사선을 넘어 확실하게 성장했다.

『그런가……. 전부, 잘못된 선택이었나.』

레드라스가 이쪽을 보며 으르렁거리듯이 말했다.

내 엄포로 이런 결과를 맞았다. 즉, 노려야 할 것은 오르디아가 아닌, 나였다고 말하고 싶은 것 같았다.

『……네놈의 마법은 뭐냐? 이 나를 구속할 정도의 마법이라니ー.』

"『엔젤 바인드』. 제약도 많고 한 번밖에 못 쓰지만…… 약해진 너라면 통할 거라고 생각했지."

게임에는 『버드 소어』 외에도 도움이 안 되는 마법이 여럿 있었다. 수행 시절에 그중 쓸 만한 것이 있나 검증했고, 도움이 될 만한 마법을 발견했다. 『엔젤 바인드』도 그중 하나였다.

효과는 대상의 움직임을 일정 시간 봉인하는 것. 단, 이 마법은 인간형 악마나 마족 한정으로 효과가 있었다. 게다가 상대의 남은 HP에 따라 성공률이 바뀌기 때문에 게임에서는 쓰기 어려워서 잊힌 케이스도 많았다.

게다가 한 번 사용하면 같은 상대에게는 그 이후에 두 번 다시 효과가 없고, 마법을 완성하기 전에 움직이면 실패로 끝난다. 제약이 많고 타이밍 맞추기도 몹시 어렵지만, 이번에는 확실하게 통할 거라 예상하고 썼다.

『아무래도…… 여기까지인 것 같군. 허나―.』

서 있던 레드라스가 마력을 일으켰다. 우리를 향한 것은 아니지만, 소피아와 오르디아는 마족의 행동을 막기 위해 공격했다.

오르디아가 연격을 먹이고 소피아는 『화염 베기』― 두 사람의 공격으로 레드라스는 마침내 창을 떨어뜨렸다.

―마력을 일으킨 것은 우리를 노린 게 아니라 마왕의 명령을 달성하기 위해 남은 힘을 대지에 모은 것이었다. 5대 마족을 쓰러뜨리는 것에는 성공했지만, 계획을 저지하지는 못한…… 그런 구도였다.

레드라스의 몸이 무너지기 시작했다. 소피아와 오르디아는 일단 거리를 두고 관찰했고, 이내 끝난 것을 확인한 후 어깨에서 힘을 뺐다.

"해냈…… 모양이군."

침묵을 깨듯이 오르디아가 중얼거렸다. 곧 창까지 바스러져 먼지가 되었고…… 레드라스가 서 있던 곳에는 마력이 넘쳐흘렀다.

5대 마족을 쓰러뜨리면 마족의 안에 잠들어있던 현자의 힘이 해방되고 하얀 빛이 생긴다. 그 힘은 주인공에게 깃들고 마왕을 무찌르는 힘이 된다.

모두 빛을 주목했다. 소피아와 오르디아는 처음에는 경계했으나—.

"……신기한 빛이군. 레드라스의 힘이 아닌 모양이다."

오르디아가 견해를 말했다. 그에 동의하듯이 소피아가 입을 열었다.

"레드라스가 손에 넣은 정령의 힘일까요?"

"그럴지도 몰라. 레드라스를 포함한 특정 마족은 본래 없던 특수한 힘을 악용하고 있는지도 모르겠군."

한창 이야기 중에 빛이 움직였다. 풍선처럼 둥실둥실 떠도는 모습이 새로운 숙주를 찾는 것처럼 보였다.

"어?"

소피아가 작게 중얼거렸다. 빛이 그녀에게 다가가— 몸으로…… 어?

"……어?"

깜짝 놀랐다.

"……이건?"

소피아가 놀라며 이상이 없는지 몸을 확인했다.

"빛이 들어오고…… 어쩐지, 마력이 회복된 것 같습니다."

"역시 소피아 씨의 몸에 들어간 것은 마족의 힘이 아닌 모양이군. ……검증은 어려운가."

오르디아의 추측을 들으며 나는 넋을 잃었다. ……이거, 진짜야?

이 사실을 어떻게 해석해야 할지 바로 판단할 수 없었다. ……이내 소피아가 내게 물었다.

"그러고 보니 리엘 씨 쪽은……?"

오르디아도 퍼뜩 깨달았다. 나는 사태가 어떻게 됐을지 상상이 갔지만, 일부러 두 사람에게 말했다.

"일단 돌아가자."

우리는 되돌아가기 시작했다. 성 안은 레드라스가 없어졌기 때문인지 답답한 장기도 사라졌고 마물도 없었다.

"초조해할 필요 없지 않아?"

유노가 말했다. 확실히 마물이 없어진 상황을 생각하면……. 나는 그렇게 생각했지만, 소피아와 오르디아는 자기 눈으로 확인하지 않으면 납득하지 않을 분위기였다.

잠시 뒤, 성 입구에 도착했다. 그곳에서 기다리던 것은―.

"끝난 모양이군."

알트의 목소리가 들렸다. 입구에는 대검을 힘없이 든 알트와 한쪽 무릎을 꿇은 이그노스, 그리고 리엘이 주저앉아 있었다.

그 주변에는 사역하는 마물이 소수…… 이것만 남은 모양이었다.

"갑자기 장기가 사라지나 싶더니 악마도 사라졌어. 어떤 구조인지는 모르지만, 우리도 아슬아슬했거든. 덕분에 살았다."

게임에서도 레드라스를 쓰러뜨리면 마물이 완전히 사라졌다. 이 성의 장기를 이용해 마물을 만들었다고 가정하면, 그 장기가 없어지게 되면 악마들도 존재할 수 없어진다.

평범한 마물은 사라지지 않지만, 성에 있는 마물은 사정이 조금 달랐다.

"그래서, 레드라스는 무찔렀어?"

"응."

내 대답에 알트가 웃었다.

"작전 완료군. 이번 전투는 덫에 걸리고 시작돼서 힘들었어."

"미안해."

리엘이 사과했다. 그는 힘없이 일어나 우리에게 감사를 표했다.

"루온 씨 일행이 없었으면 죽었을 거야. 정말 고마워."

"마족 토벌이니 협력하는 게 당연해."

내 대답에 리엘이 다시 머리를 숙였고…… 곧이어 질문했다.

"그런데 묻고 싶은 게 하나 있어. 레드라스가 소멸한 뒤, 빛이 나타나지 않았어?"

그 말을 듣고 오르디아가 가장 먼저 반응했다.

"뭔가 알고 있나?"

"아…… 그쪽한테는 설명하지 않았군. 나는 시간을 되돌리는 마법을 쓸 수 있어. 그렇게 다양한 정보를 입수하고 한 가지 결론을 내렸어."

"시간을……. 마물을 만드는 기술도 그 과정에서 얻었나?"

"응. 그런데 그 빛이 누구한테 갔어?"

"저한테……."

소피아가 살짝 손을 들었다. 나는 안 좋은 예감이 들어 끼어들려고 했다. 하지만 어떻게 이 이야기를 막아야 하나 고민하는 순간—.

"그런가……. 아마도 당신은, 마왕을 무찌를 자격을 얻었어."

—소피아에게 충격적인 말이 들려왔다.

"오르디아 씨, 사실 나는 당신의 이름을 알고 있었어. 그래서 당신을 바로 믿었고."

"같은 시간을 반복하다가 알았나."

"맞아. 그 빛을 품는 것도 알고 있었어. 그래서 나는 당신이 빛을 손에 넣을 줄 알았는데…… 법칙이 있을지도 모르겠군."

오르디아가 현자의 피를 이은 사실은 현재 본인도 파악하지 못한 상황이다. 그것은 시나리오 종반에 알게 되는 사실……. 소피아가 왕녀라는 것도 리엘 일행에게 말하지 않았다. 법칙성을 발견하는 것은 무리다.

"빛이 소피아 씨에게 깃들었다니……. 그것을 손에 넣으면 마왕을 무찌를 힘을 얻게 돼."

사실을 듣고 소피아는 굳어버렸다. 잠시 뒤, 그녀는 고개를 숙이고 입을 열었다.

"죄송합니다. 잠시, 생각할 시간을……."

"……갑작스러웠나. 미안해."

리엘도 소피아의 심정을 알아차렸는지 사과했다. 이거, 안 좋아진 것 같은데…….

주머니에서 나온 유노가 소피아의 어깨에 올랐다. 눈이 마주쳤다. 심각한 표정……. 내 불안을 나타내는 것 같았다.

제12장 땅속에서의 결전

  복잡한 분위기 속에서 「돌아가자」는 알트의 말에 왔던 길을
되돌아가기로 했다.

  숲도 장기가 완전히 걷혀서 평온을 되찾았다. 로베일 왕국
을 어지럽혔던 마물도 사라졌을 것이다. 하지만 나라가 사태
를 파악하고 마족을 무찔렀다고 공표하기까지…… 며칠은 걸
리겠지.

  "역시 안 믿어주겠지?"

  앞서 걷던 알트가 갑자기 말을 꺼냈다.

  "합쳐서 여섯 명인가……. 이 인원으로 마족을 쓰러뜨렸다
니, 헛소리로밖에 안 들려."

  "정말, 보고해도 안 믿어줄 것 같네."

  리엘이 대답하고 작게 숨을 내쉬었다.

  "알트 씨, 앞으로 어떡할 거야?"

  "응? 우선 스텔라와 합류해야겠지. 그러는 리엘 씨는?"

  "마족이 나를 노리는 건 분명하니까 당분간은 싸우기 전에
말했던 사람의 보호를 받으면서 마물을 늘일 생각이야. 동료
인 캐룬은…… 미안하지만, 이대로 헤어져야겠지. 알트 씨,
그 사람을 부탁해도 될까?"

"그래, 상관없어. ……그런데 마물을 늘인다는 건, 앞으로 있을 일을 준비하는 거지?"

"신경 쓰여?"

리엘이 되묻자 알트가 어깨를 으쓱했다.

"그쪽 사정을 아는데 신경 안 쓰이는 게 이상하지."

"나와 이 이상 엮이면 마왕과의 싸움에 좋든 싫든 휘말리게 돼."

"그렇겠지."

리엘의 경고에도 알트는 한 걸음도 물러나지 않았다.

"리엘 씨가 말했듯이 이대로 내버려 두면 큰일이 날 거야. 스텔라 일도 있고, 나도 할 수 있는 일을 하겠어."

"미안해."

"……한 가지 질문이 있다."

그때, 오르디아가 대화에 끼어들었다.

"리엘 씨는, 우리 외의 다른 사람에게 사정을 말했나?"

"내가 보호를 요청한 사람에게는 말했어. 확실하게 믿을 수 있다고 생각해서."

"시간을 되돌린 경험을 살려서?"

"그래. 물론 함부로 퍼뜨리지는 않았어. 대대적으로 사정을 이야기하면 나를 노리는 게 아니라 성을 지은 다른 마족들이 나타나지 않을지도 몰라."

리엘이 목에 손을 대며 말했다.

"시간을 네 번 되돌린 경험으로 알게 된 건, 매번 같은 사건으로 성을 지은 마족이 나타났다는 거야. 내가 가진 정보를 알게 되면 마족도 죽음을 피하고자 당연히 숨어있을 테지.”

“놈들을 쓰러뜨리려면 일부러 비밀로 해야 하나…….”

그의 말에 알트가 심각한 표정을 지으며 말했다.

“참고로 그런 마족이 얼마나 남았어?”

“레드라스를 제외하면 넷이 남아. ……내가 좀 돌아다녀도 전쟁의 흐름은 크게 바뀌지 않았어. 하지만 시간을 되돌리는 존재가 있다고 알려지면 흐름이 무너져. 성을 가진 마족을 격파하고 방해를 없애야 하니 함부로 공표하면 안 돼.”

—이 점에 나는 내심 안심했다.

하지만 큰 문제가 생겼다. 소피아다. 계속 고개를 숙이고 걷고 있었다.

“하나 더 묻고 싶다.”

오르디아가 다시 질문했다.

“레드라스가 남긴 빛. 지난번 전투 때, 내가 아닌 사람에게 깃들기도 했나?”

“……이름을 아는 건, 발크스 왕국의 기사 에이나 포크드라는 사람이야.”

소피아의 어깨가 움찔거렸다. 하지만 고개를 들지 않았다.

“다른 사람은 이름은 모르지만, 모험가에게 빛이 깃든 경우도 있어. 법칙을 모르겠어.”

“달리 단서는 없나?”

“기사 에이나는 왕가와 혈연관계라고 해. 그 나라는 대대로 현자의 핏줄이 통치하니까 현자와 인연이 있는 인물이라고 생각할 수도 있어. 오르디아 씨, 당신은 어때?"

"그 말은 즉, 나도 현자의 후예라고? 미안하지만, 그런 정보는 없다. 검증할 수 없어."

소피아가 왕녀라는 것을 알리면 리엘도 현자의 후예와 연관이 있다고 단언할지 모른다. 하지만 이 이야기는 아직 하지 않는 게 나은가……. 무슨 일이 일어날지 몰랐다.

그리고 게임 속의 마왕은 현자의 힘이 반격으로 쓰일 줄 예상하지 못했다. 현실에서도 그럴 것이다. 빛을 품은 존재가 있다는 게 알려지면 시나리오 틀에서 크게 벗어날 게 분명했다. 그러니 이 일도 비밀로 해야 했다.

"리엘, 나도 질문 있어."

나는 못을 박고자 입을 열었다.

"빛을 품은 존재에 대해…… 누군가한테 말했어?"

"아니, 이것도 숨겨야 한다고 봐."

"알았어. 나도 말하면 안 된다고 생각해. 성을 지은 마족의 동향이 바뀔 가능성이 있으니까."

"알았어."

"알트와 이그노스…… 오르디아도 괜찮겠어?"

"응, 괜찮아."

"상관없어요."

"물론이다."

모두 승낙했다. 이걸로 우선 핵심적인 정보 유출은 막히겠지.

대화를 마치고 머지않아 숲을 나왔다. 악마들이 있었다고는 생각되지 않는 평화로운 분위기가 주변을 감쌌다.

점심이 훌쩍 지난 시간이었다. 나는 괜찮았지만, 다른 사람들은 체력이 상당히 소모됐을 것이다. 쉬어야겠군.

"마을로 돌아가서 숙소를 잡자. 마물이 없어져서 편하게 쉴 수 있고…… 앞으로 어떡할지는 내일 생각해도 되잖아."

내 말에 모두 고개를 끄덕이고…… 마을로 가고자 걸음을 옮겼다.

레드라스의 성에서 가장 가까운 마을에 가자, 마물이 사라진 정보를 모으기 위해서인지 바쁘게 뛰어다니는 병사가 있었다. 우리는 그에 상관하지 않고 숙소에 들어가 쉬기로 했다.

나는 숙소 식당 한구석에서 유노와 작전 회의에 들어갔다.

"루온, 알트 씨나 다른 사람들은?"

"지쳤는지 눈 깜짝할 사이에 잠들었어. 리엘도. 오르디아는 밖에 있어."

나는 심각한 표정으로 유노를 봤다.

"소피아는?"

"못 자겠나 봐……. 마왕을 무찌를 존재라는 말을 듣고 상당히 동요하고 있어."

그때, 우리에게 다가오는 존재가 있었다. 레핀이었다.

"레핀, 어때?"

"……중책(重責), 인가. 소피아는 자기가 해야 한다고 생각하지만, 그 이상으로 불안에 짓눌려 있어."

"그렇구나……. 에이나가 힘을 품었다는 리엘의 정보는 상당히 안 좋았어. 소피아는 이해가 빨라서 빛과 현자의 힘이 연관이 있다고 추측하겠지. 그게 부담을 키웠어."

소피아는 셸다트와 다시 한 번 만났을 때 손이 떨릴 정도로 무서워했다. 그러나 전쟁이 시작되자 감정을 억누르고 5대 마족 중 한 명에게 덤비고, 무찔렀다.

필사적이었으리라. 함정이 있었어도 괜한 생각 하지 않고 목숨 걸고 싸웠다. 하지만…… 역시 이 이야기는 무시하지 못하겠지. 확실하게 결판을 내야 했다.

어떻게 해야 하나…… 생각하고 있으니 유노가 내게 말을 걸었다.

"있잖아, 루온."

"왜 그래?"

"우선 상황을 정리하자. 레드라스가 갖고 있던 현자의 마력이 소피아에게 간 이상, 소피아야말로 현실에 있어서 마왕을 무찌를 존재가 된 거잖아?"

"……후예 한 사람에게 힘을 모으는 방침으로 가면 그렇게 돼."

"이야기가 알기 쉬워졌다고 해석해도 될까?"

유노의 말에 나는 탄식했다.

"소피아의 심정 등을 고려하지 않으면 그렇지."

"그럼 검을 놓겠다고 하면?"

레핀이 물었다. 나는 그녀를 마주 봤다.

"억지로 강제할 권리는 없어. 그렇게 되면 다른 방법을 생각해야만 해. 만약 싸우겠다고 결심해도 이것저것 해야 할 일이 있어."

"예를 들면 뭐가 있어?"

나는 잠시 생각하고 대답했다.

"나와 소피아만으로 5대 마족에게 덤비는 건 위험하니 동료를 늘려야지. 그것도 확실하게 사정을 말할 수 있는 인물을……"

"응, 그러네."

유노가 찬성했다.

"그리고 남은 5대 마족을 관찰해야 해. 소피아에게 힘을 집중하지 않으면 대륙을 붕괴시키는 『라스트 어비스』라는 마법이 발동하잖아?"

"맞아. 힘을 집중하지 않을 때에는 다섯 명이 각각 쓰러뜨리는 패턴이 돼. 『라스트 어비스』를 막지 못하고 마왕도 강해지지. 그러니 앞으로는 5대 마족에 관한 이벤트에 세심한 주의를 기울여야 해."

"당장 싸우게 될까?"

"그건 모르겠어. 지금 할 수 있는 건 다음 이벤트에 대비해 가능한 한 서둘러 소피아를 강해지게 하는 거야."

나는 머리를 긁적이며 말을 이었다.

"다음은 주인공들의 동향인가. 5대 마족에게 덤비는 인물이 나올 수 있어. ……그 싸움에 소피아를 동행시켜야지. 만약 그게 에이나라면…… 어떻게 할지 생각해놔야 해."

"그렇구나. 그래서 말인데, 루온."

"응."

"소피아가 어떤 결단을 내려도…… 그녀의 등을 밀어줄 수 있는 건 루온뿐이야."

……나는 유노와 시선을 교환하며 다음 말을 기다렸다.

"나와 레핀에게는, 소피아는 마음을 열지 않아. ……아니, 소피아가 말은 해줄지 몰라도 우리는 길을 알려 줄 수 없어."

"나도 그렇게 생각해."

레핀이 말을 받았다. 그 얼굴이 어딘지 슬퍼 보였다.

"계약한 정령이어도…… 마음을 터놓고 이야기하기는 어려워. 그럴 수 있는 건, 소피아가 신뢰하는 루온뿐이야."

"……그런, 가."

모든 것이 내게 달려있나…….

"루온, 한 번 더 확인할게."

유노가 물었다.

"소피아가 싸우고 싶지 않다고 하면…… 어떡할 거야?"

"아까도 말했듯이 소피아가 그런 선택지를 고른다면 그녀의 선택을 존중할 거야."

"하지만 그럼—."

"어떤 식이든, 내가 초래한 결과인 것은 사실이야."

나는 유노의 말을 막고 말했다.

"그러니까 전부 짊어질게."

"그런⋯⋯."

레핀이 놀랐다. 그녀는 내게 책임이 있다고 생각하지 않는 모양이지만—.

"오늘, 이야기해 볼게."

나는 유노와 레핀에게 말했다.

"어떻게 할지는⋯⋯ 대화가 끝나고 이야기하자."

밤이 되자 알트 일행도 일어나 저녁을 먹었다. 하지만 아직 피곤한지 오늘 하루는 계속 잘 것 같았다.

"소피아, 저녁 먹고 이야기 좀 하고 싶은데, 괜찮을까?"

식사가 끝나기 직전에 나는 소피아에게 제안했다. 소피아는 작게 「네」라고 대답했다.

그 모습을 보고 리엘이 미안한 표정을 지었다. 자기가 한 말로 생각에 잠기게 한 것에 책임을 느끼는 것 같았다.

나는 눈으로 괜찮다고 했고⋯⋯ 식사를 마치고 소피아와 밖으로 나왔다.

유노와 정령 레핀, 로쿠토는 현재 소피아와 떨어져 있어서 완벽히 둘뿐이었다. 별이 가득한 밤하늘 아래, 마물이 사라져서 평온해진 마을은 안락한 고요함이 내려앉았다.

"잠깐 걸을까?"

"⋯⋯네."

어딘지 대답이 건성이었다. 그렇게 될 정도로 충격적인 내용이었다.

우리는 느릿하게 걸었고, 이내 마을 입구 부근에 도착했다.

아무리 그래도 새까만 어둠 속에서 대화하기는 뭣해서 마법으로 빛을 만들고 마주 봤다.

"리엘이 말한 거 말인데……."

"……네."

소피아가 잠시 침묵했다가 대답했다. 표정이 굳었고 어깨에 힘이 들어간 게 한눈에 보였다.

"소피아, 좀 더 편하게 있어."

"네, 네."

힘이 전혀 빠지지 않았다. 이대로 이야기해야 하나…….

"……네 모습을 보니까 동요했다는 걸 알겠어."

"루온, 님……."

"그래서 듣고 싶어. 소피아가 무슨 생각을 하는지."

침묵이 생겼다. 빛이 하늘하늘 흔들리며 소피아의 얼굴을 환상적으로 비췄다.

그러나— 예전에 성 테라스에서 보여준, 말로 표현할 수 없는 분위기는 없었다. 그것은 소피아의 표정이 어두웠기 때문이었다.

"저는…… 저……."

"나는 소피아를 종자로 삼아 함께 여행하고 있어. 하지만 무섭고 싸우고 싶지 않다면, 그 생각에 따르려고—"

"아, 아닙니다……!"

소피아가 고개를 저었다. 부정하려고 기를 썼다.

"리엘 씨의 이야기에 의하면 그 빛이 현자와 관련된 것임에는 부정의 여지가 없습니다. 그러니까 현자의 후예인 제가 해야 해요!"

"……소피아."

이름을 불렀지만, 그녀는 무시하듯이 말을 내뱉었다.

"마왕을 무찌를 자격을 얻었으면 싸워야 합니다! 조국을 정복한 마족을 무찌르고 성을 지은 마족을 죽이고, 그리고—."

"소피아."

다시 그녀의 말을 멈추려고 했다. 그러나—.

"저는 싸울 임무가 있습니다! 제가, 이 전쟁을—!"

"소피아!"

그렇게 외친 직후 왕녀의 주장을 멈추기 위해— 끌어안았다.

동시에 목소리도 멈췄다. 잠시 정적이 세상을 지배했고 오직 그녀의 체온만이 느껴졌다.

"루온…… 님……?"

"내가 듣고 싶은 건 그런 게 아니야. 소피아의 본심을 듣고 싶어."

"그러니까, 저는—."

"임무나 현자의 핏줄…… 지위도, 빛을 손에 넣은 사실도 전부 내버려 둬. 내가 듣고 싶은 건, 소필리아라는 너 자신이 어떻게 하고 싶은가야."

그녀의 몸이 떨렸다. 전에는 손을 떨었는데 그때보다 더 떨었다.

"너 자신이 어떻게 생각하는지…… 무서워서 도망치고 싶은지, 아니면 아직 검을 들고 싶은지. 그걸 들려줘."

"저, 는……."

나는 몸을 떼고 소피아를 바라봤다. 그녀는 넋이 나가 당황한 시선으로 나를 봤다.

"내 종자로서가 아니라…… 네가 어떻게 하고 싶은지, 그걸 가르쳐줘."

침묵이 내려앉았다. 바람에 소피아의 머리카락이 나부꼈고 내 외투가 펄럭였다.

"……저."

그녀가 고개를 숙였다. 그러나 떨림은 멎었다.

"솔직히, 무섭습니다. 숲에서 나라를 멸망시킨 마족과 만나고, 저는 어떻게 해야 좋을지 모르게 됐습니다."

"응."

"그 마음을 어떻게든 억누르고…… 레드라스와 싸웠습니다. 그야말로 무아지경으로, 필사적이었기에 그렇게까지 싸운 거라고 확신합니다."

소피아는 얼굴을 들고 내게서 시선을 떼지 않고 말을 이었다.

"그리고 리엘 씨의 이야기를 듣고…… 무섭다고 느끼는 제게, 마왕을 무찌를 자격이 있는지 불안해졌습니다."

"무리도 아니야. 오히려 마왕을 무찌를 수 있다는 말을 듣고 아주 당연하게 받아들이는 게 이상해."

내 말에 소피아가 어깨를 떨궜다.

그런 그녀에게 나는 부드럽게 말했다.

"나는 소피아가 모든 것을 짊어질 필요는 없다고 생각해."

"……루온 님."

"만약 검을 들고 싶다면, 난 상관없어. 아까도 말했듯이 자신이 정말로 어떻게 하고 싶은지 생각해줘."

소피아는 잠시 입을 다물었고…… 이내 대답했다.

"검을 버릴 생각, 없습니다."

"그래."

"할 수 있는 일을 하고자 합니다. 정말로 마왕을 무찌를 수 있을지는 알 수 없지만요."

"고집할 필요 없어. 그 밖에도 방법이 있을 거야."

소피아는 웃으며 말하는 나와 그저 눈을 맞출 뿐이었다.

"결론도, 서두르지 않아도 돼. ……불안해지면 먼저 내게 말해줘."

그렇게 말하자 소피아가 「죄송합니다」라고 사과했다.

"폐만 끼치네요."

"나는 아무렇지도 않아."

"하지만……."

"됐어. 난 소피아를 돕고 싶어서 이러는 거야. 그뿐이야."

내 뜻이 전해졌는지 그녀가 미소 지었다.

"루온 님, 폐를 끼쳐 죄송합니다. ……그리고 고맙습니다."

"신경 쓰지 마라니까. 괜찮아?"

"아직 머릿속은 정리가 안 됐지만…… 말하니 꽤 편해졌습니다."

침착함을 되찾은 모양이었다. 내가 고개를 끄덕이자 소피아는 나와 잠시 눈을 맞춘 뒤 입을 열었다.

"……저기, 루온 님."

"왜?"

빛에 비친 소피아의 얼굴이 조금 붉어진 게 보였다.

"그, 조금 놀랐지만…… 기운이 났습니다."

—무슨 말인가 했다가 곧 끌어안은 것을 떠올리고 왠지 얼굴이 뜨거워졌다.

"아, 음……."

충동적으로 저지른 일이라 나도 말이 나오지 않았다. 어떻게 대답해야 하나 망설이던 때— 아까까지의 불안함이 사라지고 환상적인 모습으로 돌아온 소피아가 눈에 비쳤다.

그 모습을 보고…… 안도감에 자연스럽게 미소가 지어졌다.

"기운이 났다니 다행이야."

"네."

서로 마주 웃었다. 표정이 밝아져서 정말 다행이었다.

우리는 대화를 마치고 숙소로 향했다. 도중에 숙소 입구에서 유노를 발견했다.

처음에는 놀리러 온 줄 알았는데 레핀과 로쿠토도 있었다. 놀리려는 건 아닌 것 같았다.

그들에게 다가가자 유노가 손을 흔들었다.

"오오, 루온. 우연이네?"

"······속 보인다, 너."

"에이~. 소피아, 괜찮아?"

"네. 오늘은 그만 자겠습니다. 하루 푹 자면 혼란이 조금은 가시겠죠."

소피아는 그렇게 말하고 숙소로 들어갔다. 그녀가 들어가는 걸 지켜본 후, 나는 레핀 일행에게 말을 걸었다.

"여기서 기다렸다는 건······ 무슨 일 있어?"

"저희 왕께서 연락을 하셨습니다."

로쿠토가 말했다. 노움의 왕이?

"저희 왕께서도 로베일 왕국의 소동을 관찰하셨습니다. ······루온 님 일행이 마족을 쓰러뜨렸다고 전했더니 다시 땅속을 조사하셨습니다."

그러고 보니 노움의 왕은 5대 마족이 땅속에 마력을 주입하는 사실을 알고 있었다.

"그 결과, 아무래도 좋지 않은 일이 일어난 모양인지라······."

"구체적으로는?"

내 물음에 로쿠토가 알 수 없는 표정을 지었다.

"레드라스의 의지가, 땅속에 있는 마력으로 옮겨졌다고 합니다."

······그 말을 듣고 나는 눈썹을 찌푸렸다.

"레드라스가······?"

"네. 현재는 상황을 살피고 있습니다."

게임에서는 놈이 그런 일을 했다는 이야기가 없었는데······?

"현재, 왕은 땅속에 있는 마력을 경계하고 동포와 연계 중이십니다. 전투가 벌어지지는 않을 거라고 말씀하셨습니다만……."

"……위험할지도 모르겠어."

툭 흘린 한 마디에 로쿠토의 얼굴에 긴장이 서렸다.

"문제가 있습니까?"

"그게, 이야기와 똑같이 흘러가는지 판단하기 어려워. 이건 읽지 못한 부분이야. 하지만 내가 아는 이야기와 결정적으로 다른 점이 있어."

"왕께서 사정을 아시는 것 말이군요."

"응. 거기에서 큰 차이가 생길지도 몰라."

나는 후우 하고 숨을 내쉬고 결심했다.

"가자."

"그렇게 말씀하실 줄 알고 왕께서 땅속 입구를 가르쳐주셨습니다."

"알았어. 서둘러야 해? 간다면 동료가 잠든 뒤에 가고 싶어."

"괜찮습니다. 왕께 그렇게 전하겠습니다."

그렇게 대화가 정리되고, 때가 될 때까지 기다리기로 했다.

깊은 밤. 나를 포함한 남자들이 사용하는 큰 방— 알트는 낮부터 잤는데도 푹 잠들었고, 다른 남자들도 모두 잘 자고 있었다.

나로서는 잘된 일이었다.

"그럼…… 다들, 미안."

만약을 위해 수면 계열 마법을 사용한 후 창문을 열었다. 신령이 있는 숲으로 갔을 때와 동일하게 여기는 2층이었고, 나는 망설임 없이 뛰어내렸다.

"으쌰……!"

바닥에 착지해 주변을 확인하니 사람은커녕 움직이는 게 없었다.

"이제 로쿠토가 오기를 기다리면 되나……."

소피아가 잠들면 유노와 정령들이 밖으로 나오기로 했다. 그들을 기다렸다가 목적지로 가는 건데…….

잠시 뒤, 옆 방 창문이 열렸다. 소피아가 사용하는 방이었다.

그 직후, 창문에서 사람이 뛰어내렸다. 잠깐, 설마……?

바닥에 착지하는 소리. 이어서 내게 다가온 이는─.

"……루온 님."

장비를 갖춘 소피아였다. 어두워서 표정은 보이지 않지만, 곁에 레핀과 로쿠토가 있는 기척이 느껴졌다. 참고로 유노는 어깨에 올라 있었다.

"레핀에게 들었습니다. 레드라스가, 선물을 남겼다고요."

감정을 읽는 레핀이 스스로 말했다는 것은 나와 동행하는 편이 낫다고 생각한 것이리라.

땅 밑에서 무슨 일이 일어날지 몰랐다. 레핀은 그것을 고려해 말했을 것이다. 그렇다면 흘러가는 데로 맡기자.

"소피아, 몸은 괜찮아?"

"잠이 안 와서…… 마력도 몸에 깃든 빛 덕분에 괜찮습니다. 마법도 확실하게 쓸 수 있습니다."

"그래……. 그래도 그곳에 가면 무슨 일이 일어날지 몰라. 주의해줘."

"네."

그녀의 대답을 들은 뒤, 이번에는 로쿠토가 입을 열었다.

"목적지는 이 마을에서 북쪽에 있습니다. 이동 마법을 쓰면 얼마 걸리지 않아 도착할 겁니다."

"그럼 『버드 소어』를 쓰자. 소피아, 괜찮겠어?"

"알겠습니다."

그녀가 고개를 끄덕이고 마력을 높였다. 나는 유노가 주머니에 들어간 것을 보고 마법을 썼다.

어두운 밤, 우리는 질주했다. 훈련의 성과인지 소피아도 제대로 운용하고 있었다. 다음은 마법을 얼마나 유지할 수 있느냐, 인데…… 어느 정도 시간이 지나도 쓰고 있었다.

"전투를 거치고 단번에 성장했나 보네."

유노의 말에 나는 마음속으로 동의했다. 좀 더 시간이 걸릴 줄 알았는데 레드라스와의 전투로 마력 쪽도 상당히 단련됐다.

역시 소피아의 성장능력은 대단해. ……그런 생각을 하며 이동하다가 로쿠토가 가리킨 지점에 도착했다.

"이곳입니다."

약간 높은 산의 암벽— 그곳에 어른이 간신히 들어갈 정도의 입구를 가진 동굴이 있었다.

"이곳은 우리 노움이 사용하는 길입니다."

"길?"

소피아가 되묻자 로쿠토가 설명했다.

"사람이 길을 정비하듯이 우리는 땅속에 많은 길을 만들어 대륙을 오갑니다. 인간이 노움의 거처라 부르는 곳은 왕이 있는 동굴뿐, 동포는 대륙 곳곳에 흩어져있습니다."

"오, 그렇구나."

재미있는 이야기였다.

"이곳은 로베일 왕국에 있는 여러 지하통로 입구 중 하나입니다. 문제가 되는 곳은 과거에 노움이 살았던 큰 마을 유적 근처에 있어서 길이 닦여있고 땅속 깊은 곳까지 확인할 수 있습니다."

"알았어, 들어가자. ……소피아, 괜찮지?"

"네."

나는 마법으로 빛을 만들고 동굴 안으로 들어갔다. 소피아는 묵묵히 따라왔다.

잠시 후 바위 표면뿐인 넓은 공간이 나왔다. 정면에 통로가 있어서 나는 망설이지 않고 돌진했다. 완만한 내리막길로 이루어진 통로는 땅 밑으로 향했다.

"길, 이라고 해도 안전하지는 않습니다."

로쿠토가 다시 설명했다.

"이곳은 땅속의 균열이라고 할 낭떠러지를 따라 길이 나 있습니다."

"떨어지지 않게 조심하라는 거군."

통로를 지나 처음으로 본 것은 낙하방지 철책이었다. 가까이 가보니 그 너머에 칠흑으로 물든 무서울 정도로 장대한 땅속 세계가 있었다.

빛으로 비춰봤지만, 도무지 전체적인 풍경을 비추지는 못했다. 지상에서는 상상할 수 없는 거대한 공간이 이곳에 있었다.

"왠지, 기분이 이상해."

유노가 주머니에서 나오며 말했다.

"마족의 마력이 있으니까 더 무서울 줄 알았는데……."

"아마 저희 왕이 어떤 처치를 하신 거겠죠."

로쿠토가 유노에게 대답했다.

"왕은 아래에 계실 테니 안내하겠습니다. 아, 올터리가 튼튼하긴 하지만, 체중은 싣지 마세요."

그를 앞세워 안쪽으로 걸을 때마다 발소리가 제법 울렸다.

"……응?"

문득 아래에서 으르렁거리는 것 같은 소리가 들렸다. 처음에는 바람인 줄 알았는데 아니었다.

"마물, 같네요."

소피아가 말했다. 그와 동시에 길이 둘로 갈라지는 곳에 도착했다.

한쪽은 지금까지 온 길처럼 벽면을 따라가는 길. 그리고 다른 한쪽은 벽면을 뚫어서 만든 길. 로쿠토는 둘 중 벽을 뚫은 길을 가리켰다.

"이쪽으로."

"로쿠토, 마물에 대해 아는 거 있어?"

"저는 아무것도 못 들었습니다."

"그래. ……뭐, 예상은 가지만."

"레드라스랑 관련 있어?"

유노가 물었다. 나는 대답하려고 했지만— 소피아가 있었다.

하지만 설명하지 않으면 곤란한가. 이 정도는 괜찮겠지만…… 어떻게 하나 망설이는데 소피아가 알아차렸는지 내게 말했다.

"저는 참견하지 않겠습니다."

"……괜찮아?"

"루온 님께 무슨 사정이 있다는 것은 저도 압니다. ……짚이는 데는 있지만, 저는 신경 쓰지 마시고 계속하세요."

레핀을 봤다. 그녀가 작게 고개를 끄덕였다. 괜찮다는 뜻인가.

그렇다면— 나는 유노에게 말했다.

"마족이 직접 생성한 것과 달라. 땅속에 마력을 주입하다가 부차적으로 태어난 마물이야."

이야기에서 마왕이 『라스트 어비스』를 발동해서 대륙을 붕괴시키면 땅속에서 마물이 대량으로 나타난다. 마족의 마력과 대지의 마력이 섞여 태어난 소년 정도의 체격을 가진 마물— 이름은 『다크 돌』이다.

검은 어린 오니(鬼)처럼 생겼고, 나타난 이후에는 대륙 각지에서 날뛰고 다닌다. 직접 싸우지 않는 이벤트용 적이라 대부분은 평범한 전사가 쓰러뜨릴 수 있을 정도의 힘밖에 없었다.

하지만 숫자가 막대해서 인간들은 마왕에게 덤비기 전에 다크 돌을 격퇴해야 했고 상당한 피해를 봤다. 결과적으로 대륙 붕괴를 촉진시킨 성가신 적으로…… 이놈들은 일찍이 5대 마족이 마력을 주입하기 시작하면서부터 땅속에 있었다.

그리고 중요한 것은 이 마물은 어디까지나 부차적으로 태어난 것으로, 마왕도 이렇게 될 줄 몰랐다고 결전 때 말한다는 것. 즉, 이 자리에서 쓰러뜨려도 마왕이 인지하지 못하니 앞날에 영향을 주지 않는다.

그러나 의문도 있었다. 레드라스의 의지가 땅속의 마력에 들어갔다면 다크 돌의 존재를 알아차렸을 것이다. 게임에서는 보고되지 않았을까? 전황을 유리하게 이끌어갈 만한 재료일 텐데…….

아니면 레드라스가 땅속 마력에 들어간 것 자체가 이야기 틀에서 벗어난 건가?

그렇게 생각하며 벽에 뚫린 길에 발을 들였다. 내리막길— 그것도 나선형으로 된 길을 나아가는 도중에 장기가 느껴졌다.

땅속에 있는 다크 돌은 하나하나의 능력이 높지 않다. 그 점을 생각하면, 가까워지기 전에 장기를 느낀 이유는—.

"지금도 상당한 수가 있는 것 같군."

"자칫하다가는 1백, 2백은 있는 거 아니야?"

유노의 중얼거림에 나는 게임을 떠올렸다. 일국의 기사단이 다크 돌의 엄청난 수에 고전한 에피소드가 있었다. 즉—.

"레드라스의 힘 대부분이 땅속에 주입돼서 태어났어. 수천 이어도 이상하지 않아."

"그거 위험하지 않아?"

유노의 의견은 지당했다. 게임에서는 『라스트 어비스』가 사용되기까지 모습을 드러내지 않아서 지금은 실질적 피해가 없는데…… 어떻게 할까.

생각하는 사이, 땅 밑에 도착했는지 내리막길이 끝나고 직진하는 길이 나왔다.

그 중간에 한 그림자…… 벽에 등을 기대고 선 노움의 왕―아크나가 있었다.

"기다렸다."

"상황은 어때?"

내 물음에 아크나가 어깨를 으쓱했다.

"원래 당신들이 성을 지은 마족과 싸우기 전부터 여러모로 조사 중이었다. 대량의 마족을 어떻게 하나 고민하는데, 마족의 의지가 이곳에 들어왔다."

"아직 아무것도 안 했나?"

"그래. 동포와 협력해 격리 결계를 펼쳤을 뿐이다."

"격리, 결계?"

내 물음에 아크나가 벽에서 등을 떼고 나와 마주 섰다.

"마왕 쪽에 조사하는 게 발각되면 곤란하지 않나? 따라서 조사하는 이 주변 마력이 밖으로 새어나가지 않게 했지. 짙은 장기 때문에 전투는 어렵지만, 노움의 힘을 크게 발휘할 수 있는 땅속이라서 결계는 어떻게든 구축했다."

"그 사실 자체가 마족에게 들켰을 가능성은?"

"그건 문제없다."

아크나가 안쪽으로 가는 통로를 힐끗 보고 말했다.

"땅 밑에 있는 마력이 서서히 대지를 침식하지만, 구석구석까지 퍼질만한 것은 아니야. 따라서 영향을 이 주변에 묶어둘 수 있었고, 다른 마족은 알아차리지 못했다."

아크나가 서두를 떼더니 추론을 늘어놓았다. 허나 소피아가 있기 때문인지 핵심 부분은 일부러 건드리지 않았다.

"거점을 만든 마족들이 모두 이런 짓을 하고 있다면 대지에 『쐐기』를 박는 게 목적이군. 무엇 때문인지는 모르지만."

"쐐기, 요?"

소피아가 심각한 표정으로 말했다.

"여러 개의 마력 극한점을 미리 만들고 그곳을 핵으로 삼아 광범위 마법을 확산시키려는 것일까요?"

"아마도……. 땅속 구석구석까지 퍼지게 하는 방법으로는 마법 효과가 희미해질 테지. 원래 이야기로 돌아가서, 침식 범위는 이 주변뿐이다. 그리고 이 마력이 다른 마족이 있는 곳으로 가려는 조짐도 없어. 그러려고 하면 나도 알게 된다."

즉, 아크나의 말은 내가 전력을 쏟아도 괜찮다는 뜻이었다.

"그럼 루온 공, 어떡할 텐가?"

"몇 가지 질문이 있어. 우선 어떻게 마족의 의지가 들어왔는지 알았어?"

"루온 공 일행이 마족을 무찌른 뒤, 땅속의 마력이 한층 강해진 것을 확인하고 정밀히 조사했기 때문이지. 현재 성에 있던 마족이 땅속에 있는 것은 분명해."

"그럼…… 가령 우리가 다가가서 놈이 모습을 드러냈다고 치자. 그 녀석을 쓰러뜨려서 끝인지 아닌지— 즉, 마력 속에 마족의 의지가 남아 있는지 판별할 수 있어? 조금이라도 의지가 남으면 몹시 곤란한데……."

"가능해. 그 점에 관해서는 내가 틀릴 일은 없다."

나는 게임 상황과 맞춰봤다. 마왕은 다크 돌의 존재를 몰랐다. 그리고 5대 마족이 패배한 뒤에도 마력을 주입한 땅 밑은 방치했다.

이것은 스토리가 진행될수록 인간 쪽이 유리해져서 땅속을 처리할 여유가 없었던 것에 더해, 괜한 짓을 해서 땅속 마력을 파괴하면 곤란하다고 판단했으리라 추측됐다.

"……하나 더, 질문 있어."

나는 다시 아크나에게 물었다.

"땅속에 마력이 있다는 사실은, 어떤 계기로 알게 됐지?"

"루온 공은 리엘 공의 사정을 아나?"

노움의 왕에게는 말한 건가…….

"응, 시간을 되돌리는 마법을 쓸 수 있다지."

"그럼 말하지. 그에게 사정을 들었다. 이전 시간대에서, 마왕이 무슨 짓을 하는지 조사하고 땅속에 마력을 주입하는 것을 발견했다고 한다. 그러나 무엇 때문인지는 그도 몰랐다.

이 마력이 쓰이기 전에 인간 쪽은 패배한 모양이다."

리엘이 남부 침공에 관해 암시하는 말을 한 것을 보니, 그게 문제가 되는 모양이었다. 인간이 그때 지면『라스트 어비스』는 쓰지 못한다. 아니, 인간이라는 방해물이 사라지면 무리할 필요가 없어지니 신령과의 결전에 대비해 간직하는 건가?

"리엘 공은 조사하지 않아도 된다고 했지만, 관심이 있어서 조사 중이다."

"만약 그가 없었다면……."

"땅속에서도 장기가 나오기 시작하고 마물들이 날뛰었겠지. 이번에 루온 공이 무찌른 마족의 성 주변에는 동포가 살지 않아서 갈 이유도 없어. 거처에서 귀찮은 일도 있었으니 조사할 생각은 하지 않았을 거다."

아크나가 이곳에 있는 것은 게임 틀을 벗어난 것이다. 남은 것은 레드라스와 관한 일— 놈의 행동이 게임대로인지…… 마왕의 다크 돌과 관련된 말을 생각하면 본래는 성에서 죽었다고 생각하는 게 타당한가.

"뭐, 어쨌든 움직이지 않으면 위험하겠는데—"

레드라스는 아크나의 존재를 알아차렸을 것이다. 현재는 땅속에 머무는 모양이지만, 언젠가 결계를 부수고 마왕에게 다크 돌에 대해 보고할 터였다.

"내가 어떻게든 해보겠어."

내 말에 소피아가 놀랐다.

"루온 님……?!"

"걱정하지 마, 소피아. 아크나, 미안하지만 소피아를 부탁해도 될까?"

"좋다. 마물이 이곳에 오지 않도록 잘 해놓지."

"고마워. 유노는?"

"당연히 따라갈 거야."

뭐가 당연한지는 모르겠으나…… 그녀는 문답무용으로 주머니에 들어갔다.

"아크나. 하나 더 확인하고 싶은데, 예를 들어 내가 전력으로 싸울 경우, 마력이 새어나갈까?"

"허용량은 존재하지. 하지만 직접 땅 밑을 파괴하지 않는 한, 어느 정도는 괜찮다."

"내가 발각될 위험은 없겠군. ……그럼 레드라스의 마력 중심은 어디에 있어?"

"이 통로를 지나 쭉 가면 된다."

"그래. 그럼 기다려줘."

나는 마치 학교라도 가는 것처럼 가볍게 말하고 아크나의 옆을 지나 통로 출구로 향했다. 그 앞은 끝없는 칠흑— 거인이라도 살지 않을까 싶을 정도로 드넓은 공간이었다.

빛으로 비출 수 있는 곳은 극히 일부였지만 다크 돌을 볼 수는 있었다.

"많은데……."

유노의 중얼거림을 들으며 나는 주변을 관찰했다.

다크 돌 중에는 일반적인 기사와 전사로는 대응할 수 없는 강한 개체도 있었다. 설정자료집에 의하면 구분이 된다는데…… 빛의 범위 내에 있는 것은 체격이 작은 아주 평범한 개체뿐이었다.

인형처럼 생기가 느껴지지 않는 무생물 같은 칠흑빛 피부에 그것들이 내뿜는 장기는 어둠에 녹아 기분 나빴지만, 공포는 느껴지지 않았다.

다만, 유노의 말대로 수가 많았다. 빛에 반응했는지 주변에 있던 모든 개체가 나를 향해 돌아서는 모습은 귀신의 집보다 무서울지도 모르겠다. 난 아무렇지 않지만.

"우선은 전초전인가."

"소피아도 있으니 기합이 들어가나 봐?"

유노의 짓궂은 질문에 니는 쓴웃음을 지었다.

"딱히 그런 건 아닌데…… 그럼―."

곧이어 마력을 모았다. 갑자기 다크 돌들의 기척이 바뀌었다. 경계하고 있어―.

"깊이 잠든― 꿰뚫는 힘이여!"

빛이 모였다. 이어서 나타난 것은 창 한 자루. 아무 장식도 없는 것으로 공격력도 일반적인 철제 창과 거의 다르지 않았다.

이것을 고른 데에는 이유가 있었다. 창 기술에는 수많은 범위 공격이 있다. 1대 다수인 현재 상황에 가장 알맞은 무기였다.

"간다!"

크게 선언하고 다크 돌에게 다가가 창을 휘둘렀다. 바로 앞에 있는 다크 돌을 맞추자 창끝에서 바람의 검이 발생했다.

회오리가 일어나며 마물 여럿이 날아갔다. 하급 기술 『월 윈드』였다. 공격 범위는 정면의 부채꼴 형태의 공간으로, 초반 에 잘 쓰는 기술 중 하나였다.

날아간 다크 돌들은 죄다 공중에서 먼지가 되어 사라졌다. 위력이 낮은 이 기술도 내가 사용하면 치명상을 주는 것이 검 증됐다.

그러자 다크 돌들이 일제히 나를 향했다. 마치 어둠 그 자 체가 다가오는 것 같은 광경이었다. 나는 냉정하게 창을 고쳐 들고— 회전 베기를 먹였다.

이것도 하급 기술에 해당하는 『회전창』으로, 시전자를 중심 으로 창을 한 바퀴 휘두름으로써 규모가 작은 충격파를 퍼뜨 렸다. 포위됐을 때를 예상해서 만든 기술인데 공격력이 나름 있어서 다양한 곳에서 쓸 수 있었다.

지금 상황에서는 기술의 진가가 발휘됐다. 습격하려고 한 다크 돌들이 기분 좋을 정도로 날아갔고 그만큼 수가 줄었다.

"루온, 체력은 어때? 괜찮아?"

유노가 주머니 속에서 물었다. 아침부터 계속 싸워 와서 힘 들 거라 생각하고 한 말 같은데…… 나는 웃으며 대답했다.

"전혀 문제없어. 적이 이렇게 많아서 즐거울 정도야."

"여유롭다는 거네. 적도 한 방에 쓰러뜨리고, 쉽게 이기겠어."

유노는 걱정해서 손해 봤다는 말투로 말했다. 나는 입꼬리 에 미소를 그리며 창을 휘둘러 문답무용으로 주변의 적들을 날려버렸다.

유노의 말대로 한 방이라 승부가 되지 않았다. 마물은 창이 닿으면 남김없이 전부 소멸했고, 만약 창을 피해 공격해도 나는 피해가 없었다.

노움의 왕이 도와주기도 해서 안심하고 창을 휘두르는 것도 컸다. 다만, 지금은 리본이 뜨거워지지 않는 범위에서 공격했다. 그 이유는—.

"루온."

유노가 이름을 불렀다. 뭔가 싶어 바라보니 훨씬 키가 큰 다크 돌이 있었다.

"다른 적보다 많은 마력을 흡수한 강한 개체군. 하지만—."

마물이 나를 향해 돌진했다. 그렇다면— 나는 찌르기 태세에 들어가 하급 기술인 『섬광 찌르기』를 썼다.

마력을 담아 위력 있는 찌르기 기술이 달려오는 다크 돌에게 직격했고…… 다크 돌은 간단하게 소멸했다.

여유롭다고 생각하자마자 주변 마물들이 단번에 포위망을 좁혔다. 두들겨 맞아도 아무렇지 않지만, 공격당해서 시간을 빼앗길 수는 없었다. 나는 얼른 창을 휘둘러 다가오려고 하는 마물들을 예외 없이 소멸시켰다.

그때, 마물의 움직임이 바뀌었다. 지금까지 연계도 뭣도 없었는데 갑자기 질서정연하게 바뀌었다.

레드라스의 짓인가— 그렇게 생각한 것은 한순간이었다. 진행 방향에서 한층 거대한 장기를 내뿜는 존재를 느꼈다. 저게 원인이었다.

"장기로 마물을 제어하고 있었나……. 사령탑이군."

마치 군대 같았다. ……장기 때문에 주변 마물이 생기가 넘치기 시작했다. 이거, 지휘관을 먼저 쓰러뜨려야겠군.

그렇게 결심하고 마물을 날려버리며 돌격했다. 그러자 장기를 내뿜는 지휘관도 과감히 맞섰다. 손에는 장검처럼 생긴 칠흑이 쥐어져 있었다. 그것을 치켜들고 내 예상보다 빠르게 달려들었다.

나는 그에 대응하고자 창을 뻗었다. 칠흑과 창이 부딪쳤고—다음 순간, 칠흑이 내 일격으로 흩어져 사라졌다.

나는 기세를 죽이지 않고 창을 내려쳐 지휘관을 세로로 베었다. 그 결과, 마물은 소멸했다. 다른 것보다 셌지만, 내게는 의미가 없었다.

"다음은……."

시선을 정면으로 향하자 더 강한 장기를 가진 마물이 있었다. 멀리서도 느껴지는 그 마력에 유노도 말을 덧붙였다.

"저게 왕인가 봐. 저것 이상의 마력을 가진 개체는 달리 없어."

"그럼 우선해서 쓰러뜨리자."

목표를 정하고 주변의 다크 돌을 섬멸하며 달렸다.

적—『돌 킹』이라고 불러야 하는 상대도 대응했다. 오른팔이 울룩불룩 부풀더니 기마병이 쓰는 것 같은 랜스로 바뀌었다.

"오, 하려나 본데?"

유노가 태평하게 말했다. 나는 여전히 창을 들고 돌진했다. 그러자 돌 킹이 즉시 대응해 랜스를 방패로 썼다.

순간, 칠흑에 창이 꽂혔다. 다소 저항은 있었지만 창은 칠흑을 관통해 마물의 몸에 닿으려 했다.

그러나 직전에 상대가 물러났다. 적의 랜스가 내가 찔렀던 곳에서 갑자기 사라지고 거리를 둔 뒤에 다시 형태를 갖췄다.

"머리 좋은 마물인데?"

"그러게."

"하지만 어차피 그뿐이야."

주변의 다크 돌들은 나를 에워싸듯이 서서 지켜봤다. 레드 라스의 마력이 들어갔기 때문일까.

본래 레드라스는 무인(武人) 기질로 정정당당하게 싸우는 것을 좋아하는 타입이었다. 이전에 싸웠을 때에는 배신자인 오르디아가 있어서 그런 성격을 그다지 보이지 않았지만…… 마물에게는 반영되어 1대1을 바라는 모습이었다.

"편해서 좋긴 한데…… 뒤가 막혀 있으니까 단번에 끝내자."

돌 킹이 내게 랜스를 내질렀다. 마력 장벽이 없으면 관통은커녕 몸에 큰 구멍이 뚫렸을 기세였다.

그러나 나는 다리를 옆으로 움직여 랜스를 가볍게 피했다. 바람을 가르는 소리가 귀에 들어오자 창을 강하게 쥐고 마력을 높였다.

리본을 뜨거워지지 않게 하며 중급 기술을 쓸 준비를 마쳤다. 어쩌면 나도 소피아처럼 레드라스와의 대결을 통해 성장했는지도 모르겠다.

나는 흉부를 향해 창을 내질렀다. 기술명 『오라 재블린(aura

javelin)』. 극채색을 띤 마력을 때려 넣는 단발 기술이다.

창끝이 칠흑의 몸에 들어간 순간, 팔에 분명한 반응을 느꼈다. 단번에 밀어 넣어 날이 확실하게 가슴에 박히자 창의 빛이 폭발이라도 하듯이 팽창해 칠흑의 몸을 뒤덮었다.

바람이 빨려 들어가는 듯한 소리가 들리고 돌 킹이 날아갔다. 그리고 다른 마물처럼 공중에서 먼지가 됐다.

"미안한데……."

왕이 사라지자 주변에 있던 다크 돌들이 당황해서 돌아다녔다. 나는 가차 없이 창을 휘둘러 주변 마물을 날려버렸다.

"미리 청소하자."

"시간이 걸릴까?"

"이대로 하면 몇 시간 정도?"

냉정하게 유노의 질문에 대답하며 적을 격파했다. 고독한 싸움임에도 일방적으로 가지고 놀았다.

그렇게 다크 돌을 쓰러뜨리다가…… 더 이상 눈에 보이는 범위에 안 보이게 된 것은 돌 킹을 격파한 지 한 시간 하고 조금 지났을 때였다.

"의외로 빨랐네. 그럼 가자."

창을 없애고 앞으로 나아가려는데 뒤에서 발소리가 들려왔다.

"소피아 일행인가."

돌아보니 빛이 다가왔다. 잠시 기다리고 있으니 소피아가 건너편에서 달려와 합류했다. 그녀의 곁에는 아크나와 레핀이 있었다. 로쿠토는 모습을 감췄는지 여기에 없었다.

나는 소피아에게 말을 걸기 전에 노움의 왕에게 확인했다.

"아크나, 그쪽으로 마물이 갔어?"

"루온 공의 마력에 끌려서 오지 않았어."

"그래……."

"저기, 루온 님."

소피아가 당황했다. 내 실력의 일부를 보고 놀라워했다.

어떻게 설명하나 망설이는데…… 아크나가 먼저 말문을 열었다.

"문답은 나중에 하지. 안으로 가면 땅속을 침식하는 마력이 보인다. 마족은 조금 전의 전투를 봤을 거다. 접근하면 간섭할 게 분명해."

"그렇군. 당신도 따라올 거야?"

"간부급 마족이 어떤 것인지, 가까이에서 확인하고 싶군."

"그건 괜찮은데, 위험하면 소피아와 함께 물러나 줘."

"물론이다."

이동을 재개했다. 한동안 발소리만이 칠흑 같은 공간 속에 울려 퍼졌다. 정면에서 짙은 장기를 느끼며 나가가자— 레드라스의 마력을 볼 수 있는 위치에 도착했다.

"이건……."

소피아가 신음했다. 길이 좌우로 나뉘고 정면에 암벽이 있는데, 도처에 검은 선이 셀 수 없을 정도로 뻗어 있었다.

게다가 이것들은 소리도 없이 인간의 혈관처럼 맥박이 뛰고 있었다. 빛의 범위를 늘리자 위쪽은 더 심각했고 벽 한 면을 그물망처럼 침식했다.

"이거, 없애기 어려워?"

아크나에게 물어보니 그가 난색을 보였다.

"대지의 힘과 밀접하게 엮여있어. 선불리 간섭하면 어떻게 될지 모른다. 현시점에는 없앨 방법을 찾는 것 정도가 한계다."

"그렇구나……."

『─여기까지 오다니 예상 밖이로군.』

벽면에서 목소리가 들렸다. 귀에 익은 목소리였다.

『어떻게 이 마력을 포착했지? ……아니, 됐다. 이쪽도 알려진 이상, 봐줄 수 없지.』

우리 앞에서 갑자기 칠흑이 뒤엉켰다. 아크나가 소피아에게 「물러나」라고 지시하고 자신도 천천히 물러났다.

"루온 공, 맡겨도 되나?"

"응. 그쪽은 결계 유지를 부탁해."

나는 자연스럽게 앞에 서서 칠흑을 응시했다. 그것은 점점 형태를 이루었고, 이내 성에 있었던 레드라스와 같은 모습이 됐다.

『힘을 숨기고 있었군.』

"그래서 네가 직접 싸우겠다고?"

『그렇다.』

땅 밑을 울리는 묵직한 대답 뒤, 칠흑에서 창이 생겨나 무인의 모습을 완성했다.

『이 마력을 알게 된 이상, 몰살이다. ……너희도 운이 없군.』

"뭐?"

『지원군을 불렀다면 대처가 가능했을지도 모른다. 허나 그러지 않고 여기까지 오다니.』

레드라스의 목소리에 비웃음이 섞였다.

『즉, 너희를 죽이면 이 마력의 존재를 아는 자가 없어진다.』

"그러네."

나는 숨을 한 번 내쉬고 레드라스에게 말했다.

"하지만 여기서 너를 쓰러뜨리면 마왕이 우리와 조금 전의 마물을 알 수 없게 돼."

『정답이다. 그런데 할 수 있을까?』

"해볼게."

레드라스의 웃음소리가 울려 퍼졌다. 분수를 모른다고 생각했나 보다.

나로서는 바라던 바다. 만약 아까 진짜 실력을 냈으면 이렇게 모습을 드러내지 않고 마왕에게 위협을 전했을지도 모른다.

『내 힘으로 태어난 조무래기들을 쓰러뜨리고 기분이 좋아진 모양이군.』

"그럴까? 뭐, 싸워보면 알아."

『좋다. 그렇다면 가르쳐주마― 절망을 말이다!』

장기가 급격히 팽창했다. 레드라스의 존재감이 한층 커져서 그 주변만 칠흑이 한층 짙어졌다고 느낄 정도였다.

"그만한 힘…… 땅속에 주입한 마력을 빼내고 있는 모양이군."

『문제없을 정도다. 순간적으로만 전력을 낼 수 있지만, 너희를 죽이기에는 충분하다.』

······마력을 조금 뽑아 쓴 모양이나, 이 정도로 마왕의 『라스트 어비스』가 약해지지는 않으리라. 역시 마법 자체를 막아야 했다.

『여기까지 온 칭찬으로 진심으로 대해주마.』

레드라스의 힘이 늘었다. 1회 한정이지만, 힘을 돋운 레드라스인 만큼 이 대륙에서 맞설 수 있는 사람은 적을 터였다.

나는 호흡을 가다듬었다. 그리고 천천히 마력을 끌어올렸다.

"그럼 나도 할 수 있는 것을 하지."

『어리석군. —후회하며 죽어라!』

레드라스가 맹렬하게 달려들었다. 나도 그에 호응하듯이 거리를 좁혔다.

단 한 번의 승부. 적의 전력을 완전히 막지 않으면 뒤쪽에 그 여파가 끼칠 수 있었다. 아크나가 막아주겠지만, 가능하면 내가 직접 하고 싶었다.

그래서— 오른팔에 천천히 마력을 집중했다. 아직이다.

『죽어라!』

레드라스가 거칠게 소리치며 창을 날렸다. 엄청난 마력이 창끝에 집중됐다. 보통 사람은 맞설 수 없는 그야말로 최고의 일격이었다.

그렇기에 나도— 리본이 뜨거워짐에도 불구하고 마력을 단번에 끌어모았다!

"위대한 빛이여— 내 손에 신의 힘을!"

『영령(英靈)의 검』. 빛 속성을 가진 무기 제작 마법—.

순식간에 힘이 모이고— 이 검은색으로만 이루어진 공간에 금색으로 빛나는 검이 나타났다.

『아닛……?!』

레드라스가 신음했다. 드디어 내 힘을 깨달은 것이다.

그러나 이미 늦었다. 상대의 창에 맞서 나는 마력을 끌어올려 공격을 때려 넣었다.

기술명 『유구(悠久)의 경계』. 빛 속성 최상급 마도기로, 공격이 상대에게 직격한 순간, 하얀 빛이 구체가 되어 상대를 감싸고, 전방위에서 쏟아지는 빛에 의해 적은 소멸한다.

『네, 이놈……!』

내 기술이 완성된 후, 검과 창이 교차하는 순간 내 검은 태연하게 창을 날려버렸고— 그대로 기세가 죽지 않고 경악하는 레드라스에게 날아갔다.

"—이 나라는, 네 침공으로 많은 사람이 공포에 휩싸여 죽었겠지."

레드라스의 성으로 가기 전에 본, 아무도 없는 마을이 뇌리에 떠올랐다.

"그러니 너도, 유린의 공포를 안고— 죽어라!"

『—으아아아아아아아악!』

단말마인가, 필사적으로 저항하기 위한 포효인가. 어느 쪽이든 레드라스는 아무것도 하지 못하고 빛에 갇혔다.

섬광이 구체가 되고 그 안에서 엄청난 마력의 격류와 빛이 휘날렸다. 레드라스가 사라지는 순간은 하얀 빛에 가로막혀 보이지 않았지만…… 이윽고 모든 것이 끝나고 마족의 모습은 흔적도 없이 사라졌다. 너무나 싱거운 끝이었다.

"일격인가."

아크나가 중얼거렸다.

"이야~, 호쾌했어!"

유노가 주머니에서 날아올라 기쁘게 말했다. 나는 미소로 대답을 대신하고 검을 없애며 뒤를 돌아봤다.

팔짱을 끼고 나를 바라보는 아크나. 레핀은 레드라스가 있던 곳을 봤다.

그리고 소피아는— 멍하니 서 있었다. 나는 소피아를 신경 쓰며 우선 아크나에게 물었다.

"마족의 의지는?"

"완전히 사라졌다. 벽면에는 마력만 남아 있어. 하지만 이 마력을 마족에게 들키지 않고 바로 어떻게 하는 것은 곤란해."

"알았어. 그러면 당분간 조사를 부탁해."

"알겠다."

아크나의 대답을 듣고 다음은 소피아에게 몸을 돌렸다.

"……음, 있잖아—."

사정을 말하려 해도 어디서부터 전해야 할지…… 그렇게 고민하며 입을 열려고 했다. 그런데—.

"루온 님, 괜찮습니다."

소피아가 결연하게 말했다.

"사정을, 설명하려고 하셨죠?"

"뭐……, 응."

"그럴 필요 없습니다. ……아뇨, 지금은 말하지 않아도 된다는 게 제 대답입니다."

그녀가 나와 눈을 맞추며 말했다.

"조금 전의 전투로 루온 님이 큰 힘을 가졌다는 것은 알았습니다. 하지만 그것을 밝히지 않은 사정 또한 이해합니다."

"그건……."

"루온 님이 알려지면 저도 알려질지 모른다는 것. 또 하나는 리엘 씨가 말한— 성을 지은 마족들을 무찌르려면 여러모로 조건이 필요하다는 것. 루온 님이 그야말로 엄청난 활약을 해버리면 어떻게 될지 모른다는 것이죠?"

그녀는 정확하게 이해했다. 나는 두 손 드는 수밖에 없었다.

"그리고, 또 하나…… 만약 제게 절대적인 힘이 있었다면…… 루온 님이 솔선해서 말할 생각 아니셨습니까?"

확실히— 가령 소피아의 힘이 갑자기 각성해서 나와 어깨를 나란히 할 정도가 되었다면 사정을 말하고 협력을 부탁했을 것이다.

"……맞아."

"그럼 억지로 말씀하지 않으셔도 됩니다. 루온 님이 저를 인정하게 됐을 때, 말해주세요."

"그래도 괜찮아? 그보다 그 말은…… 싸울 의지를 굳힌 거야?"

"네."

소피아가 고개를 끄덕였다. 그 눈에 망설임은 없었으나……
잠시 뒤, 얼굴에 씁쓸한 미소가 떠올랐다.

"……내게 이만한 힘이 있으니, 함께 싸우면 강해질 거라 생
각한 건가."

"저도 루온 님처럼 강해지고 싶다는 게 가장 큰 이유입니
다. 저는 왕녀의 입장과 책무 때문에 계속 강해지길 바랐습니
다. ……하지만 어릴 적, 저는 더 순수하게 강해지고 싶었습니
다. 조금 전의 전투를 보고 그 마음이 강하게 떠올랐습니다."

"그게 소피아의 본심이라는 거지?"

"네."

부드러운 미소가 그녀의 얼굴에 떠올랐다.

"하지만, 그…… 비열하다고 해석해도 이상하지 않은 상황
이군요."

"됐어. 나를 많이 이용해."

"그건, 제가 마왕을 무찌를 존재가 됐기 때문입니까?"

"아니야."

나는 고개를 젓고— 본심을 말했다.

"소중한 동료니까. 강해지길 바라는 게 당연하잖아?"

소피아가 결심했다면 나도 전력을 다하자. ……그렇게 생각
했다.

내 말에 소피아가 눈을 휘둥그레 떴고…… 이내 기쁘게 고
개를 끄덕였다.

"······제가, 마왕을 무찌를 수 있을까요?"

조금도 불안해하지 않은 모습으로 물었다.

"그건 소피아의 노력에 따른다고밖에 말하지 못하겠어. 다만, 나는 강해지도록 지원할 생각이야."

"알겠습니다. 더는 도망치지 않겠습니다. ······힘을 손에 넣어 보이겠습니다."

확고한 결의. 나는 고개를 끄덕였고— 우리는 땅 밑을 뒤로 했다.

돌아갈 때, 나는 아크나에게 한 가지 의뢰를 했다.

"앞으로 성을 지은 다른 마족들과 싸우게 될 거야. 이번처럼 땅 밑의 마력에 의지가 깃들 가능성이 있으니까 전투가 일어났을 때, 땅속을 확인해주겠어?"

"좋다. 나도 신경 쓰이던 부분이야. 기꺼이 협력하지. 루온 공, 잘 부탁한다."

"응."

우리는 그렇게 노움의 왕과 헤어졌다.

이제 남은 것은 이동 마법으로 마을까지 돌아가는 것뿐······이었는데, 이제야 마침내 소피아의 힘이 다했다.

"······죄송합니다."

"힘든 하루였으니까 어쩔 수 없지. 나는 이러고 아침까지 걸어도 멀쩡하니까 신경 쓰지 마."

그 결과, 나는 소피아를 업고 귀갓길에 오르게 됐다. 시간은 걸리지만, 동틀 때까지는 도착할 수 있겠지?

"······루온 님."

"왜? 아, 몸이 아파?"

"아뇨, 괜찮습니다. 그, 정말로, 고맙습니다······."

온갖 의미를 담은 말이라고 확신했다. 감사는 됐어— 그렇게 대답하려는데 등에서 잠이 든 숨소리가 들리기 시작했다.

이 상황에 자다니 대단해······. 아니, 그만큼 지쳤구나.

"심신이 힘들었으니까."

유노가 내 주변에서 날며 말했다. 레핀도 나타나 내게 조언했다.

"이제 소피아는 괜찮다고 생각해."

"그래. ······불안이 사라져서 다행이야."

"이제 앞으로 어떡할 거야?"

"소피아는 이번 전투를 통해 어느 정도 힘이 생겼어. 정령과 계약할 수 있을 테니까 그쪽으로 가는 것도 괜찮겠네."

다만, 남은 두 정령······ 운디네와 샐러맨더의 거처는 여기서 북쪽과 남쪽으로 나뉘어 있었다. 어디를 먼저 가야 하나—.

"나는 검과 마법 둘 다 강화해야 한다고 생각해. 정령과 계약하면 마도기도 강화되고, 어디 한쪽에 기대는 것보다는 낫다고 봐."

"이도 저도 아니게 되지 않아?"

"그건 실력을 봐야지. ······우선은 검술을 강화해야겠어. 마법은 마력을 더 키우고 해도 돼."

여기서 남쪽— 격투장이 있는 마을이 있다. 그곳으로 가면 내가 아는 우수한 검 스승님도 있고 소피아에게 도움이 될 게 확실했다.

다만…… 루온이 가출이나 다름없이 고향을 떠난 것을 알 테니 가면 뭇매를 맞겠군.

뭐, 소피아를 생각해 달게 맞아야지.

"검술을 강화할 수 있는 마을에서 남쪽으로 더 가면 운디네의 거처가 나와. 북쪽은 적도 강하니까 샐러맨더는 나중에 가자."

소피아의 의견도 들어봐야 하겠지만, 「맡기겠다」고 대답하면 이렇게 가자.

"그나저나 이번에는 큰일이었어."

유노가 투덜거렸다. 돌이켜보니 그야말로 그녀의 말대로 「큰일」이었다.

"리엘의 존재가 무엇보다도 컸어. 시간을 되돌리는 마법이라니 상상도 못 했어. 하지만 그의 행동으로 알게 된 것도 있어. 마족들이 그를 노리는 상황이 돼도 시나리오는 그리 크게 바뀌지 않았어."

"조금 거하게 해도 괜찮다는 거야?"

"아마도. 하지만 아무리 그래도 전력을 다하는 건 위험하겠지."

나는 톤을 조금 낮춰 말을 이었다.

"이번에는 어찌어찌 대처했지만, 위기 상황에 빠졌던 건 틀림없어. 앞으로 마족과의 전쟁이 격화될 텐데……. 시나리오를 따라가는 게 사정을 아니까 대응하기도 편해. 그러니까 되도록 그러고 싶어."

"하지만 여행을 계속하다 보면 이야기 틀에서 벗어나기도 할 거야."

유노의 지당한 지적에 나는 고개를 끄덕이고 내 견해를 말했다.

"가장 큰 걱정은 남은 5대 마족이야. 내가 발각되면 남은 넷이 모습을 드러내지 않거나 예상하지 못한 행동을 하겠지. 현재는 나는 물론, 소피아도 알려지지 않게 해야 해."

"응, 그건 찬성."

"거기에 유노가 말한 틀에서 벗어나는 거는…… 정보가 없으면 가능한 한 원만하게 대처해야겠지."

다만, 만약 큰 피해가 생길 상황이면…… 지금은 때와 경우에 따른다고밖에 못하겠군.

"여하튼 방침은 이런 식으로, 무슨 일 있으면 그때마다 생각하자."

"뭔가 대충대충이네."

"어떻게 하든 그렇게 될 수밖에 없다고……."

"나는 할 수 있는 일을 할게."

레핀이 말했다. 나는 「부탁해」라고 대답한 후…… 그저 길을 계속 걸었다.

그로부터 며칠 뒤— 피로가 싹 풀리고 완쾌한 알트와 이그노스는 스텔라 일행이 있는 마을로 돌아가기로 했다. 아직까지 우리의 동행자였던 길버트는 리엘이 캐룬을 부탁한 것처럼 알트에게 부탁했다. 그에게는 미안하지만, 돌아가는 시간이 아까웠다.

"루온 씨, 나도 마족의 위협에 맞서볼게."

알트는 그 나름대로 결론을 내린 것 같았다. 우리는 악수를 하고 헤어졌다.

"안녕! 또 어디서 만나면 같이 어울리자!"

손을 흔드는 그에게, 나와 소피아는 모습이 보이지 않을 때까지 손을 흔들어 주었다.

남은 것은 두 사람. 한쪽은 리엘인데―.

"루온 씨, 정말 미안해."

"우리는 남쪽으로 갈 거니까. 방향이 같으면 같이 여행하는게 당연하지."

소피아가 내 방침에 찬성해서 진로는 남쪽으로 결정됐다. 거기다 리엘도 같은 방향이라 함께 여행하기로 했다. 가는 길도 위험하니 이게 최선이었다.

"잘 부탁해, 리엘 씨."

유노의 말에 미소를 지은 그는 시선을 돌리고―.

"나도 마왕에 맞설 생각이야. 같이 힘내자."

오르디아에게 그렇게 말했다.

마지막 한 사람인 오르디아는 마왕에게 반기를 든 것이 발각돼서 잠시 동안 잠복하려는 것 같았다. 리엘이 「나와 함께 하자」라고 제안했지만, 그는 고개를 가로저었다.

"숨어있는 동안 하고 싶은 일이 있어."

"그런가……. 한동안 몸을 숨기려고?"

"그리 오래는 아닐 거다. 나는 이 전쟁에 핵심적인 정보를 가진 것도 아니니 머지않아 자유롭게 움직일 수 있을 거야."

레드라스를 무찔러서 나와 오르디아가 표적이 됐을 가능성도 있지만, 사역마로 이래저래 조사해본 바에 의하면 그런 징후는 없었다. 우리가 쓰러뜨렸다는 확실한 정보가 마족의 손에 넘어가지 않았다고 봐도 되겠다.

따라서 그의 말대로 한동안 몸을 숨기면 습격당할 위험성은 거의 사라질 것이다. 게임에서도 그랬고 말이다.

"……만약 자유롭게 움직이게 되면 어떡할 거야?"

내 물음에 오르디아는 팔짱을 꼈다.

"인간 쪽에도 마왕에게 협력하는 패거리가 있다. 단편적인 정보밖에 얻지 못했지만, 그쪽을 조사하려고."

그렇게 말하는 그의 눈에 자책하는 마음이 담긴 것처럼 느껴졌다.

마왕을 배신하고 인간에게 붙은 그이지만, 이때까지 마족으로 활동했다. 핀트 마을의 경우처럼, 지시를 받고 마을 등을 습격했을지도 모른다. 동료들은 언급하지 않았지만…… 오르디아 역시 생각하는 바가 있을 것이다.

그렇기에 그는 조금이라도 인간에게 보답하기 위해 움직이려는 모양이었다.

"그래. ……그런데 정보라니?"

"어떤 백작이 마족 간부와 이어져 있는 것 같아."

백작이라는 말에 한 가지가 떠올랐다. 게임에서 막고 싶은 비극적인 이벤트— 그중 하나가 어느 나라의 백작과 관련됐다.

설마 그 이벤트인가……? 나는 속으로 생각하며 작별 인사를 고했다.

"무운을 빌어."

"응, 루온 씨도."

—우리는 그렇게 오르디아와도 헤어졌다. 그와 알트의 동향은 앞으로도 사역마를 통해 관찰하자.

다른 주인공들에게 아직 큰 움직임은 없었다. ……다만, 우리의 진로로 향하는 사람이 있었다. 만날지는 모르겠지만, 머리에 새겨두자.

"루온 씨, 우리도 가자."

"응."

"출발~!"

유노가 외쳤다. 나와 소피아가 웃으며 걸음을 내디뎠다.

"있지, 있지~, 자세히는 말 안 했잖아. 리엘 씨는 어디로 가?"

길을 나아가며 유노가 리엘에게 물었다.

"자세하게 말 안 했구나. 같이 여행하니까 말해야겠어."

"그러고 보니 결국, 앞으로 무슨 일이 일어나는지도 자세히 말하지 않았네."

"……빛을 품은 사람에게 전해야겠다고 생각했어. 알트 씨나 오르디아 씨는 전투 후에 묻지 않은 걸 보니 자세하게 들을 자격이 있는 건 소피아 씨뿐이라고 생각했나 봐."

리엘은 소피아를 바라봤다.

"······소피아 씨, 당신은—."

"얼마나 할 수 있을지는 모르지만, 전력을 다하겠다는 것만
은 약속하겠습니다."

명료한 대답에 리엘이 눈을 크게 떴다.

"······알았어. 내 거점에 자세히 적어놓은 자료가 있어. 그곳
에 도착하면 이것저것 이야기하기로 하자."

소피아는 고개를 끄덕였다. 그렇게 결론이 나자 다시 유노
가 입을 열었다.

"그래서, 어디로 가?"

"대륙 중앙에 있는 나라인데, 아직 마족이 침공하지 않았지
만 앞으로 귀찮은 일이 일어날 거야."

리엘은 시간을 되돌린 경험으로 무슨 일이 일어날지 아는
모양이었다.

"어쩌면 그걸 해결하기 위해 움직여야 할지도 모르겠어."

"그렇구나. 나라 이름은?"

유노의 물음에 리엘이 한 박자 쉬고 대답했다.

"피스일리아 왕국이야."

—그 이름이 나온 순간, 심장이 크게 뛰었다.

그곳은······ 루온의 고향이 있는 나라였다.

〈『현자의 검 3』에서 계속〉

현자의 검 2

초판 1쇄 발행 2017년 7월 10일

지은이_ Junki Hiyama
일러스트_ Yomi Sarachi
옮긴이_ 이은혜

발행인_ 신현호
편집부장_ 김은주
편집진행_ 최은진 · 김기준 · 김승신 · 원현선 · 김솔함
편집디자인_ 양우연
국제업무_ 정아라 · 고금비
관리 · 영업_ 김민원 · 이주형 · 조인희

펴낸곳_ (주)디앤씨미디어
등록_ 2002년 4월 25일 제20-260호
주소_ 서울시 구로구 디지털로 26길 111 JnK디지털타워 503호
전화_ 02-333-2513(대표)
팩시밀리_ 02-333-2514
이메일_ lnovelpiya@naver.com
ㄴ노벨 공식 카페_ http://cafe.naver.com/lnovel11

KENJA NO KEN 2
© Junki Hiyama 2016
All rights reserved.
Originally published in Japan by Shufunotomo Co., Ltd.
Translation rights arranged with Shufunotomo Co., Ltd.
Korean Translation rights © 2017 by D&C MEDIA Co., Ltd.

ISBN 979-11-278-4194-2 04830
ISBN 979-11-278-4074-7 (세트)

값 7,000원

*잘못된 책은 구매처에 문의하십시오.

©Rui Tsukiyo 2015/Futabasha Publishers Ltd.
Illustration GUNP

엘프 전생으로 시작한 치트 건국기 1권

츠키요 루이 지음 | GUNP 일러스트 | 김성래 옮김

한 천재 마술사가 기억을 남긴 채 윤회전생을 하는 마술을 완성시켰다.
윤회전생을 거듭하던 그는 서른한 번째 세계에서
엘프 마을에 사는 소년, 시릴로 태어난다.
하지만 마을은 인간들의 지배를 받았고, 엘프들은 늘 학대당했다.
소꿉친구 소녀 루시에를 구하기 위해,
다양한 종족이 공존하는 이상적인 국가를 만들기 위해,
지금 천재 마술사가 나선다!!

몬스터 문고 대상 「최우수상」 수상작.
「소설가가 되자」 대인기 시리즈 드디어 출간!!

잘 가거라 용생, 어서 와라 인생 1권

나가시마 히로아키 지음 | 이치마루 키스케 일러스트 | 정금택 옮김

밭일에 힘쓰고 음식을 얻기 위해 동물을 사냥한다.
검소하지만 따뜻한 변경의 생활에 청년 드란은 「삶」의 기쁨을 맛보고 있었다.

그러던 어느 날,
부근의 숲에서 마을을 괴멸시킬지도 모르는 위협과 직면하게 된다.

반인반사(半人半蛇)의 미소녀 라미아, 경국의 미인 검사와 협력!
우리 마을을 지키기 위해, 청년 드란은 용종(竜種)의 마력을 해방시킨다!

**삶에 지친 최강최고(最強最古)의 용이,
변경의 청년으로서 「인생」을 산다!**

변변찮은 마술강사와 금기교전 1~6권

히츠지 타로 지음 | 미시마 쿠로네 일러스트 | 최승원 옮김

알자노 제국 마술 학원의 계약직 강사인 글렌 레이더스는 수업 중
자습 → 취침 상습범.
그러다 웬일로 교단에 서나 싶으면 칠판에 교과서를 못으로 고정해놓는 둥,
그야말로 학생들도 기가 막혀 하는 변변찮은 강사다.
결국 그런 글렌에게 진심으로 화가 난 학생,
「교사 킬러」로 악명이 자자한 시스티나 피벨이 결투를 신청하지만—
이 해프닝은 글렌이 허무하게 패배하는 안타까운 결말로 막을 내린다.
하지만 학원에 닥친 미증유의 테러 사건에 학생들이 휘말리자,
"내 학생에게 손대지 마!"
비로소 글렌의 본성이 발휘된다!

TV애니메이션 방영 화제작!!

라이트노벨의 새로운 빛! ㄴ노벨의 신간은 매월 10일에 발매됩니다. http://cafe.naver.com/lnovel11

덜떨어진 마수연마사 1~4권

미나미 타쿠미 지음 | 코인 일러스트 | 이경인 옮김

자신이 받은 몬스터의 문장에 따라 우열이 정해지는 세계.
몬스터를 거느리며 싸우는 「마수연마사」를 육성하는 학원,
「베기옴」에 다니는 레인은 학원 유일의 슬라임 트레이너.
주변의 조소도 아랑곳하지 않고, 파트너인 펨펨을 믿으며
누구보다도 노력을 거듭하고 있었다.
그런 레인에게 집요하게 달라붙는
학년 3위의 미소녀 드래곤 트레이너 에르니아.
문장과 미모를 겸비한 완벽한 그녀가
밑바닥에 있는 레인에게 집착하는 이유는
과거의 인연이 원인인 모양인데……?!
"그 분통함은 잊을 수가 없다!
억에 하나라도 네놈이 나를 이긴다면 기꺼이 연인이든 뭐든 되어주지!!"

최약이건 최강이건 상관없다!
승리를 향한 집념이 정해진 운명에 역전극을 불러온다!